1680 — Une journée à Versailles avec Louis XIV

Glissez-vous dans la foule des courtisans et des serviteurs qui s'affairent autour du roi Soleil au château de Versailles. Bien des surprises vous attendent !

1789 — Les paysans à la veille de la Révolution

p.94

En 1789, les paysans français sont mécontents. Ils n'ont pas de quoi manger et leur vie est rude. La révolte gronde dans toutes les provinces françaises.

1812 — Martin, soldat de Napoléon 1er en Russie

p.110

En 1812, Napoléon 1er décide de conquérir la Russie avec sa grande armée. Suivez Martin, petit soldat français, dans ce long voyage jusqu'à Moscou.

1914 — Dans l'enfer de la Grande Guerre

p.126

Découvrez, aux côtés de Félix, un soldat français, la terrible histoire de la Grande Guerre. Cette guerre qui a touché vos arrière-grands-parents, il y a 80 ans.

1944 — 6 juin, le débarquement allié en France

p.142

Le 6 juin 1944, des milliers de soldats anglais, américains, canadiens... débarquent sur les plages de Normandie. Leur mission ? Libérer la France occupée par les Allemands.

Les mystères de la grotte de Tautavel

- **La découverte d'un crâne**
- **Les secrets de la grotte**
- **La tribu de Tautavel**
- **Il y a 450 000 ans, l'*Homo erectus***
- **Il y a 50 000 ans, l'homme de Néandertal**
- **Il y a 10 000 ans, l'homme de Cro-Magnon**
- **Jeu : au temps de la préhistoire**
- **La carte de l'Europe préhistorique**

450 000 ans

L'*Homo erectus* à Tautavel

50 000 ans — L'homme de Néandertal à Tautavel

10 000 ans — L'homme de Cro-Magnon à Tautavel

La découverte d'un crâne

Le 22 juillet 1971, à Tautavel

Tôt le matin, des chercheurs grimpent la colline.
Ils vont faire des fouilles dans la grotte de l'Arago.

Dans la grotte, chacun s'installe à une place
précise et attaque la roche à petits coups de burin.

Avec précaution, Anne dégage des morceaux d'os
brisés. Il y en a beaucoup sur le sol de la grotte.

Un petit village ordinaire

Au pied des Pyrénées, se dresse un petit village entouré de vignes. C'est Tautavel. Il y a 25 ans, son nom était inconnu. Jusqu'au jour où...

Une grotte mystérieuse

Tout a commencé dans une grotte, la Caune de l'Arago, située à 2 kilomètres du village. Cette grotte est creusée dans le rocher, à 100 mètres au-dessus de la plaine. Elle est très vaste : 35 mètres de long et 10 mètres de large.

Des traces préhistoriques

La Caune de l'Arago a servi d'abri aux hommes préhistoriques pendant des milliers d'années. Depuis 1964, un spécialiste de la préhistoire, le paléontologue Henry de Lumley, explore la grotte.

LES MYSTERES DE LA GROTTE DE TAUTAVEL

Une exploration minutieuse

Le souci des chercheurs : ne pas laisser échapper un ossement. Ils utilisent donc des outils très fins pour dégager les os prisonniers de la roche. Ils tamisent les débris pour recueillir des objets minuscules : des dents de souris, par exemple.

Une découverte sensationnelle

Le 22 juillet 1971 est une date inoubliable. Ce jour-là, dans une couche de roche très ancienne, un étudiant aperçoit des dents humaines! En fait, il s'agit d'un crâne entier, posé à l'envers.

Le plus vieux crâne d'Europe

Henry de Lumley identifie ce crâne : c'est celui d'un *Homo erectus*, un des premiers Européens qui vivait il y a 450 000 ans. C'est le 21e os humain découvert dans la grotte. Pour cette raison, on l'appelle Arago 21.

Je rêve... Hé ! Venez voir!

Au moment où Jim lève son burin pour frapper la roche, il aperçoit deux dents.

C'est un crâne humain!

Formidable! Hourra !

Henry de Lumley, le directeur des fouilles, examine le bloc rocheux. Il est stupéfait.

Le 10 août 1971

Messieurs, voici le crâne d'un des plus vieux hommes d'Europe.

Mr. de Lumley, une interview s'il vous plaît!

Après vingt jours de travail, le crâne est dégagé. Les journalistes envahissent la grotte.

Les secrets de la grotte

Henry de Lumley est paléontologue.
Le voici devant la grotte de Tautavel.

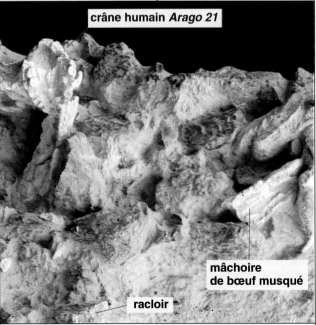

crâne humain *Arago 21*

mâchoire
de bœuf musqué

racloir

Sur ce sol, vieux de 450 000 ans, on voit,
en haut à gauche, le crâne renversé d'Arago 21.

Henry de Lumley,
paléontologue,
a expliqué à Images
Doc *les secrets de*
la grotte de Tautavel.

Pourquoi cette grotte est-elle exceptionnelle ?

Les hommes préhistoriques ont occupé cette grotte entre 690 000 ans et 90 000 ans. Parfois, ils s'y sont installés. Souvent, ils n'ont fait que passer. Mais à chaque fois, ils ont laissé des traces de leur passage.

La grotte a-t-elle changé depuis la préhistoire ?

Oui. Pendant des milliers d'années, la pluie et le vent ont transporté de l'eau, de la boue et du sable dans la grotte. Ces matériaux ont durci et emprisonné des os et des outils en pierre. Il faut donc fouiller chaque couche de roche l'une après l'autre pour retrouver ces traces humaines. Plus on creuse en profondeur, plus le sol est ancien.

Comment cherche-t-on des traces préhistoriques ?

On divise le sol de la grotte en une immense grille avec des carrés. Des lettres indiquent l'âge de chaque couche du sol. Ainsi, le sol G date de 450 000 ans. Chaque chercheur travaille ensuite dans un carré précis. Quand il découvre un os, il retient ainsi facilement son emplacement et il connaît son âge.

Pourquoi les fouilles sont-elles si longues ?

Le plus petit signe de la présence de l'homme est précieux dans un site préhistorique. Car les fouilles sont le seul moyen de découvrir cette période ancienne de notre histoire. La grotte ressemble à un grand livre dont chaque couche du sol est une page. On «lit la page» au moment où on la fouille. Mais en creusant, on la détruit et on ne peut plus la relire.

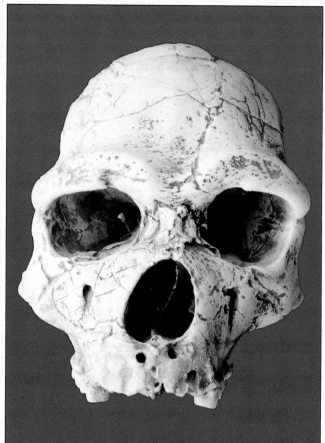

Voici le crâne du plus vieil homme d'Europe retrouvé dans la grotte et surnommé Arago 21.

Voici un racloir en silex utilisé par les hommes préhistoriques, il y a 450 000 ans.

9

La tribu de Tautavel

Il y a 450 000 ans, dans la grotte de Tautavel

Un pâle rayon de soleil réveille la tribu tout engourdie par le froid de la nuit.

Les hommes, armés d'épieux, quittent la grotte. Ils partent chasser dans la plaine.

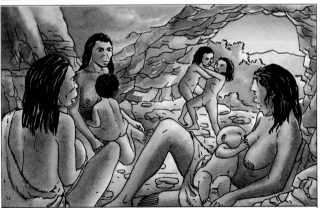

Les jeunes mères allaitent leurs bébés. A côté d'elles, deux enfants se disputent.

Grâce à la découverte du crâne d'Arago 21 et de nombreux ossements, on sait à peu près comment vivaient les hommes à Tautavel, il y a 450 00 ans.

Un logement confortable

La Caune de l'Arago, était orientée vers l'est. Elle était donc chauffée dès le matin par le soleil. C'était très important car ses habitants ne connaissaient pas le feu. En effet, on n'a trouvé aucune trace de foyer ou de pierre noircie dans la grotte.

Des hommes solides

Le crâne d'Arago 21 montre que l'homme de Tautavel avait un épais bourrelet au-dessus des yeux et de grosses dents. Il était trapu, musclé et bon marcheur.

Des familles nombreuses

Chaque tribu avait beaucoup d'enfants. On a, en effet, retrouvé de nombreuses dents de lait dans la grotte.

De bons marcheurs

Les hommes taillaient leurs outils dans le quartz et le calcaire. Mais ils utilisaient aussi le silex qu'ils allaient ramasser à 30 kilomètres de la grotte. En effet, on a retrouvé des outils en silex dans la grotte.

De grands chasseurs

Les hommes chassaient dans la plaine, dans les falaises ou sur le plateau au-dessus de la grotte. On pense qu'ils utilisaient des épieux en bois taillés en pointe. Mais aucun n'a été conservé.

Des mangeurs de viande crue

La tribu de Tautavel se nourrissait surtout de viande crue et de moelle. De plus, on a retrouvé des restes de repas autour du crâne d'Arago 21. Ce sont des ossements de cheval, de bison, de mouflon, et même une mandibule de lion !

Loin de la grotte, les chasseurs ramassent du silex. Mais le gibier reste invisible.

Soudain, ils surprennent deux mouflons sur une falaise. Aussitôt, ils brandissent leur épieu.

Les hommes chargent les mouflons sur leur dos. Ce soir, personne n'aura faim dans la grotte.

Il y a 450 000 ans, l'*Homo erectus*

Le soir tombe, humide et sombre, sur la plaine de Tautavel. Près de l'entrée de la grotte éclairée par la lumière du soleil couchant, la tribu rassemblée suit attentivement le découpage du mouflon. Tout à l'heure, tous se régaleront de viande crue avant de s'endormir, serrés les uns contre les autres, sans feu pour se réchauffer.

Une jeune mère allaite son bébé assise sur de grandes pierres qui l'isolent de l'humidité.

Des ossements brisés jonchent le sol. Ce sont les déchets des repas, que les hommes abandonnent à côté d'eux.

Un enfant attend les os pour se régaler avec la moelle grasse et nourissante.

Un homme brise des os longs de mouflon sur un bloc de pierre, pour extraire la moelle. Il utilise un lourd percuteur de pierre.

HOMO ERECTUS

Taille : environ 1,60 mètre.
Outils : racloir, biface.
Signe particulier : Il utilise
le feu, il y a 400 000 ans.

Un chasseur taille un biface.
C'est un outil simple, taillé
dans un galet, avec des éclats
tranchants sur les côtés.

Deux chasseurs découpent
le mouflon avec des racloirs
denticulés. Cet outil est
une sorte de petite scie
aux dents tranchantes.

Il y a 50 000 ans, l'homme de Néandertal

Il y a 50 000 ans, des milliers d'années après les *Homo erectus*, des hommes font étape dans la plaine, à une trentaine de kilomètres de la grotte de Tautavel. Ce sont des hommes de Néandertal. Ils vivent partout en Europe, dispersés en petits groupes. Ils sont venus là pour chercher du silex. Ce sont en effet d'habiles tailleurs d'outils.

Des hommes cherchent des blocs de silex dans des talus. En effet, le silex est un excellent matériau pour fabriquer des outils : il est dur comme l'acier et ses éclats sont nets et tranchants comme le verre.

Un poinçon en os : il sert à faire des trous dans les fourrures. L'homme passe ensuite dans ces trous des liens en tendons d'animaux. Il confectionne ainsi des vêtements.

Un homme taille un outil selon une technique appelée «Levallois». Il frappe le morceau de silex avec un percuteur en pierre pour obtenir un outil aux bords très coupants. Il peut ensuite le frapper avec un percuteur en bois dur, pour le transformer en petite scie ou en grattoir.

HOMO NEANDERTHALENSIS

Taille : environ 1,60 mètre.
Outils : grattoir, pointe Levallois.
Signe particulier : C'est l'un des premiers groupes humains qui enterre ses morts.

Un homme fait rôtir une cuisse de bouquetin chassé sur une falaise.

Une femme nettoie la peau d'un bouquetin avec un racloir. La peau dégraissée servira de vêtement.

Il y a 10 000 ans, l'homme de Cro-Magnon

Il y a 10 000 ans, une tribu s'installe sous la grotte de Tautavel,
près de la rivière, le Verdouble. Ils vivent sous des tentes,
pêchent et chassent. Ce sont les hommes de Cro-Magnon.
Ces hommes sont nos ancêtres. Leur arrivée marque
la fin de la préhistoire.

Une hutte en peau de rennes,
fixée avec des mâts en châtaignier.

Un jeune a pêché
un saumon
dans la rivière avec
son harpon. Il écaille
le poisson avec une
fine lame de silex.

Des poissons
sèchent
au soleil.

Des mocassins
en cuir.

Une femme coud un vêtement.
Elle utilise une aiguille à chas en os
et du tendon de renne en guise de fil.

Une lampe en pierre remplie
de graisse de renne.

HOMO SAPIENS SAPIENS

Taille : environ 1,70 mètre.
Outils : aiguille en os,
harpon.
Signe particulier : il devient
peintre, graveur et sculpteur.

Un homme fabrique un harpon
dans un bois de renne
avec un outil en silex.

Des hommes transportent
un renne chassé dans la plaine.
La peau, les bois, les tendons,
la chair et la graisse
de cet animal sont très utiles.

Un collier de dents
d'animaux.

Le foyer entouré
de grosses pierres.

Un propulseur est
un instrument qui permet
de lancer avec force les sagaies
et les harpons.

17

JEU : AU TEMPS DE LA PREHISTOIRE

Imagine que tu vives pendant la préhistoire.
Quel homme préhistorique aimerais-tu être ?

 A

 B

 C

Un Homo erectus, il y a 450 000 ans

Un homme de Néandertal, il y a 50 000 ans

Un homme de Cro-Magnon, il y a 10 000 ans

Maintenant, à toi de jouer !
Réponds à ces six questions en cochant la bonne solution.
Attention ! Ta réponse sera différente
selon le personnage préhistorique que tu as choisi (A, B ou C).

1 Tu pars à la chasse. Quel animal espères-tu rapporter ?

un bouquetin

un mouflon

un saumon

2 Il fait nuit. Comment t'éclaires-tu ?

tu allumes une petite lampe en pierre remplie de graisse animale

tu profites du clair de lune

tu t'approches du feu toujours allumé

3 Tu as faim. Que vas-tu manger ?

un rôti de biche

un poisson grillé

un cerf cru

4 **Tu fabriques un outil en silex. Lequel ?**

■ un biface

■ une lame très fine

■ un racloir Levallois

5 **Tu fabriques un vêtement en peau de bête. Comment fais-tu ?**

■ tu le couds avec une aiguille en os

■ tu le troues avec un poinçon en os

■ tu jettes seulement la peau sur tes épaules

6 **Un animal sauvage t'attaque. Comment te défends-tu ?**

■ tu le menaces avec un bâton enflammé

■ tu lui jettes de grosses pierres

■ tu l'attaques avec ton propulseur

Quand tu as trouvé toutes les solutions qui correspondent à ton personnage, recommence le jeu, en choisissant une autre époque de la préhistoire.

Homo erectus : 1b, 2b, 3c, 4a, 5c, 6b. Homme de Néandethal : 1a, 2c, 3a, 4c, 5b, 6a. Cro-Magnon : 1c, 2a, 3b, 4b, 5a, 6c.

La carte de l'Europe préhistorique

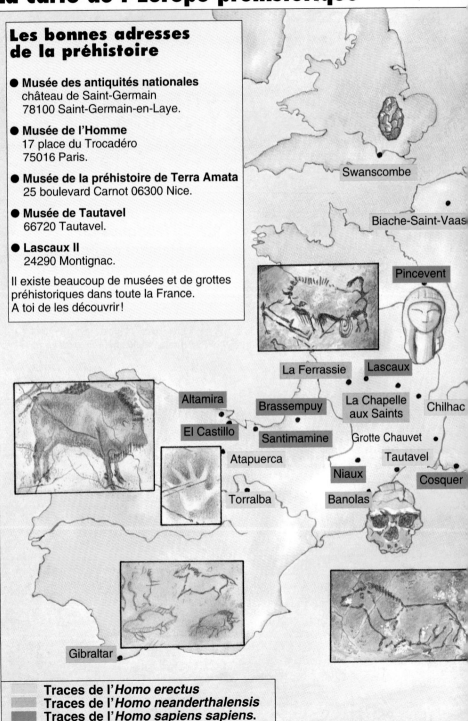

Les bonnes adresses de la préhistoire

● **Musée des antiquités nationales**
château de Saint-Germain
78100 Saint-Germain-en-Laye.

● **Musée de l'Homme**
17 place du Trocadéro
75016 Paris.

● **Musée de la préhistoire de Terra Amata**
25 boulevard Carnot 06300 Nice.

● **Musée de Tautavel**
66720 Tautavel.

● **Lascaux II**
24290 Montignac.

Il existe beaucoup de musées et de grottes préhistoriques dans toute la France.
A toi de les découvrir !

Swanscombe

Biache-Saint-Vaas

Pincevent

La Ferrassie

Lascaux

Altamira

Brassempuy

La Chapelle aux Saints

Chilhac

El Castillo

Santimamine

Grotte Chauvet

Atapuerca

Tautavel

Niaux

Cosquer

Torralba

Banolas

Gibraltar

Traces de l'*Homo erectus*
Traces de l'*Homo neanderthalensis*
Traces de l'*Homo sapiens sapiens*.

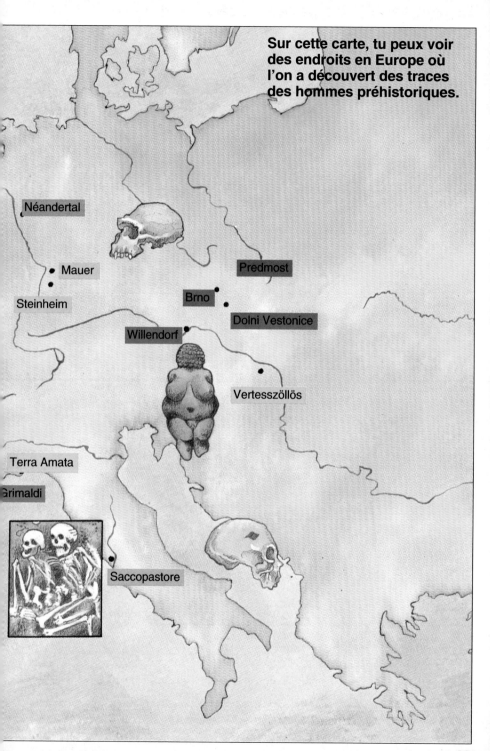

Sur cette carte, tu peux voir des endroits en Europe où l'on a découvert des traces des hommes préhistoriques.

Néandertal

Mauer

Steinheim

Predmost

Brno

Dolni Vestonice

Willendorf

Vertesszöllös

Terra Amata

Grimaldi

Saccopastore

21

MINI-ENQUETE

Voici un chantier de fouilles préhistoriques.
Observe bien les indices de l'image et réponds
aux questions suivantes :

1 Ce site préhistorique est-il ?

☐ la grotte d'un ours
☐ la caverne d'un *Homo erectus*
☐ l'habitation d'un homme de Cro-Magnon

2 Parmi les outils utilisés par les paléontologues
pour fouiller ce site, 4 instruments sont inutiles. Lesquels ?

QUIZZ

Lis bien tout le dossier sur Tautavel avant de jouer.

1 Le crâne qui a été trouvé à Tautavel appartenait à :

- un *Homo erectus*
- un *Homo mordicus*
- un *Homo sapianus*

2 Un biface était un outil :

- en bois
- en os
- en silex

3 L'ancêtre le plus proche de l'homme est :

- l'homme de Néanderthal
- l'homme de Cro-Magnon
- l'australopithèque

4 L'homme de Tautavel chassait :

- des dinosaures
- des mouflons
- des cerfs

il m'appartient !

OBJETS TROUVÉS

5 Un propulseur servait à :

- lancer un harpon
- sauter par-dessus un ruisseau
- découper un animal

6 La grotte Chauvet, découverte en France en 1995, se trouve :

- en Ardèche
- en Bretagne
- dans le Jura

7 Les hommes qui ont peint Lascaux vivaient il y a environ :

- 100 000 ans
- 35 000 ans
- 17 000 ans

8 Les hommes de Cro-Magnon habitaient dans :

- des grottes
- des tentes de peaux
- des maisons de bois

Réponses - MINI-ENQUÊTE - Jeu 1 : la grotte d'un ours. Jeu 2 : tournevis, scie, ciseaux, compas. QUIZZ - 1. Homo erectus. 2. En silex. 3. L'homme de Cro-Magnon. 4. Des mouflons. 5. Lancer un harpon. 6. En Ardèche. 7. 17 000 ans. 8. Des tentes de peaux.

Les événements qui ont marqué l'histoire

EN EGYPTE, LES PYRAMIDES

Entre 2 600 et 2 450 avant Jésus-Christ, des milliers d'esclaves travaillent à la construction de gigantesques pyramides au bord du Nil. Les pharaons qui gouvernent l'Egypte y sont enterrés après avoir été momifiés. La pyramide de Khéops, haute de 146 mètres, est une des sept Merveilles du monde !

L'INVENTION DE L'ECRITURE

Vers 3 300 avant Jésus-Christ, des paysans du Moyen-Orient décident de tracer des signes sur des tablettes d'argile pour compter leurs troupeaux. Ces signes, en forme de points, de cônes, de triangles, sont les premières traces d'écriture au monde !

EN FRANCE, AU FIL DU TEMPS

Les premiers paysans vivent à plusieurs familles dans de grandes maisons.

Des hommes alignent des pierres hautes, des menhirs.

LE NEOLITHIQUE

8000 avant JC	5000 avant JC	4000 avant JC
Les hommes construisent des villages.	Les hommes cultivent des céréales.	Les hommes élèvent des menhirs et des dolmens.

... de la Préhistoire à la Gaule romaine

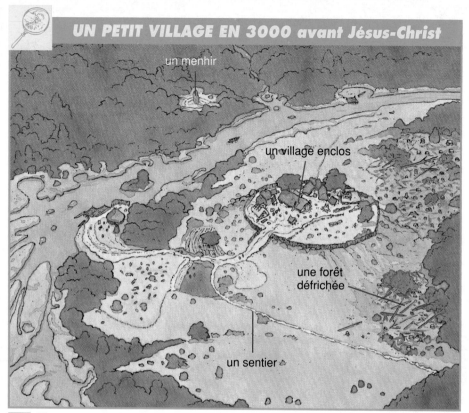

un menhir

un village enclos

une forêt défrichée

un sentier

JEU Observe tous les détails de ce paysage. Puis regarde les images des pages 43, 61, 77, 93, 109, 125, 141, 157. Tu découvriras les transformations de ce paysage au fil des siècles.

Les Gaulois fabriquent avec habileté des armes en fer et en bronze.

Les légionnaires de l'armée romaine pénètrent en Gaule.

LA GAULE

600 avant JC	450 avant JC	58 avant JC	52 avant JC
Des Grecs fondent la ville de Marseille.	Des Celtes s'installent en Gaule.	Les Romains commencent la conquête de la Gaule.	Vercingétorix défend Alésia contre Jules César, chef romain.

25

Vercingétorix contre César à Alésia

En 52 avant Jésus-Christ, la France s'appelait la Gaule.
Elle était habitée par plusieurs peuples.
Les Romains, dirigés par Jules César, voulaient conquérir toute la Gaule.
Mais un chef gaulois, Vercingétorix, décida de lutter contre l'ennemi.

- **Gaulois et Romains face à face**
- **Le siège d'Alésia**
- **Les secrets des fouilles**
- **Qui étaient les Gaulois ?**
- **Des fortifications romaines imprenables**

images **D'HISTOIRE**

Gaulois et Romains face à face

52 avant Jésus-Christ, en Gaule

> Tenons-nous prêts à lutter contre l'envahisseur.

Vercingétorix et ses guerriers surveillent l'armée de César qui s'installe autour du village d'Alésia.

> Calétis, va voir ce que préparent les Romains.

Vercingétorix envoie un guerrier espionner les Romains. Car il veut connaître leur tactique.

> Leurs défenses semblent infranchissables...

En cachette, Calétis observe les légionnaires qui creusent des fossés et installent des pièges.

L'oppidum d'Alésia

En 52 avant Jésus-Christ, Alésia était un village gaulois fortifié, un oppidum. Ses habitants étaient des forgerons, des potiers, des tonneliers. Des paysans cultivaient la terre autour d'Alésia.

Vercingétorix, chef des Gaulois

Les Gaulois étaient divisés en plusieurs peuples. En 52 avant Jésus-Christ, ils décidèrent pourtant d'élire un chef unique pour lutter contre leur ennemi commun, les Romains. Ils choisirent Vercingétorix, un des chefs du peuple arverne.

Jules César, chef des Romains

Depuis plusieurs années, les Romains étaient installés en Gaule du sud. Leur chef, Jules César, voulait conquérir les territoires gaulois. Les Romains voulaient aussi profiter des richesses de la Gaule : le sel, l'étain, le cuivre...

95 000 guerriers gaulois

Les 15 000 cavaliers de Vercingétorix utilisaient deux tactiques : la chevauchée rapide et l'attaque-surprise. 80 000 fantassins combattaient à pied à côté des cavaliers.

70 000 légionnaires romains

L'armée romaine était bien entraînée au combat. Elle était spécialisée dans les attaques des cités avec de puissantes machines de guerre.

Alésia, un village refuge

Pendant l'été 52, Vercingétorix et ses cavaliers se réfugièrent à Alésia. Cet oppidum était protégé par une falaise et des murs. Ils s'y enfermèrent avec un mois de provisions, en espérant l'arrivée des secours.

> Les Romains sont en train de nous encercler.

> Il faut agir, vite !

L'espion court informer Vercingétorix et les chefs gaulois. Ensemble, ils décident d'attaquer.

> A LA GARDE !

Les cavaliers gaulois envahissent la plaine. Les légions romaines les repoussent.

Trois jours plus tard, en pleine nuit…

> Je connais un passage mal gardé par les Romains.

Sur les ordres de Vercingétorix, des cavaliers quittent Alésia. Ils vont chercher des renforts.

Le siège d'Alésia

Deux mois après

> Gallorum auxilia adsunt.

*Les renforts gaulois sont là.

En inspectant un de ses camps, César aperçoit soudain des milliers de guerriers sur les collines.

> Cito, citius ... citissime!*

*Vite, plus vite, encore plus vite!

Sur l'ordre de César, les centurions rassemblent les légionnaires pour attaquer les Gaulois.

D'un côté et de l'autre des lignes romaines, les guerriers gaulois donnent l'assaut.

Des fortifications imprenables

Les camps romains étaient protégés par un double mur de bois de plus de 15 km de long. L'une des palissades fermait les chemins, les accès aux rivières et encerclait Alésia. L'autre palissade empêchait les renforts gaulois d'approcher. Entre ces deux palissades, 70 000 Romains circulaient librement.

258 000 Gaulois en renfort

Les Gaulois venus secourir Vercingétorix étaient des paysans armés. A leur tête, il y avait quatre chefs gaulois. Au moment de l'assaut, 250 000 fantassins dévalèrent les collines en criant pour se donner du courage. Avec leurs frondes, ils lançaient des balles de plomb sur les chevaux ennemis. Puis, 8 000 cavaliers gaulois lancés au galop chargèrent les Romains.

Les ruses de César

Les troupes de Vercingétorix sortirent aussi d'Alésia pour combattre dans la plaine. En s'approchant des fortifications romaines, ils tombèrent dans les pièges installés par l'armée de César. Ils s'empalaient sur des pieux ou se brisaient les os sur des branchages pointus...

La défaite gauloise

Les Romains étaient les plus forts car leurs défenses étaient infranchissables. Les renforts gaulois furent massacrés ou s'enfuirent. A Alésia, les provisions étaient épuisées.

César, le vainqueur

Vercingétorix se rendit à cheval dans le camp romain. Pour marquer la fin des combats, il remit ses armes à Jules César qui l'emprisonna. Quelques Gaulois furent donnés comme butin de guerre aux soldats romains.

Avec leurs glaives, les Romains repoussent des cavaliers gaulois qui s'empalent sur des pieux.

Epuisés, les Gaulois se réfugient dans Alésia. Vercingétorix décide alors de se rendre.

Dans le camp romain

Vercingétorix vient à cheval remettre ses armes à César. Les gaulois sont fait prisonniers.

JEU HISTOIRE

1 **Le centre de la Gaule, planté de forêts, s'appelait :**

- la Gaule barbue
- la Gaule chevelue
- la Gaule hirsute

2 **Vercingétorix était le chef :**

- des Arvernes
- des Auvergnes
- des Ardennes

3 **Les guerriers gaulois étaient au nombre de :**

- 95 000
- 180 000
- 200 000

4 **Les fortifications romaines autour d'Alésia s'appelaient :**

- la circonvolution
- la circulation
- la circonvallation

Les fortifications romaines du siège d'Alésia en 52 avant Jésus-Christ

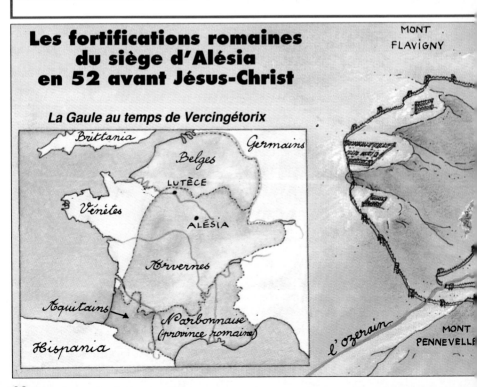

La Gaule au temps de Vercingétorix

Brittania
Belges
Germains
LUTÈCE
Vénètes
ALÉSIA
Arvernes
Aquitains
Narbonnaise
(province romaine)
Hispania

MONT FLAVIGNY

l'ozerain

MONT PENNEVELLE

5 **Les Gaulois portaient des pantalons en toile. C'étaient :**

■ des braises

■ des braies

■ des brasses

6 **En Gaule, un oppidum était :**

■ un poste de guet

■ un camp de cavaliers

■ un village fortifié

7 **Quand Vercingétorix rendit ses armes à César, celui-ci :**

■ le tua

■ l'emprisonna

■ l'envoya en exil

8 **Le récit de la bataille d'Alésia a été raconté dans un livre par :**

■ Jules César

■ Vercingétorix

■ un guerrier gaulois

Réponses. 1. La Gaule chevelue. 2. Des Arvernes. 3. 95 000. 4. La circonvallation. 5. Des braies. 6. Un village fortifié. 7. L'emprisonna. 8. Jules César.

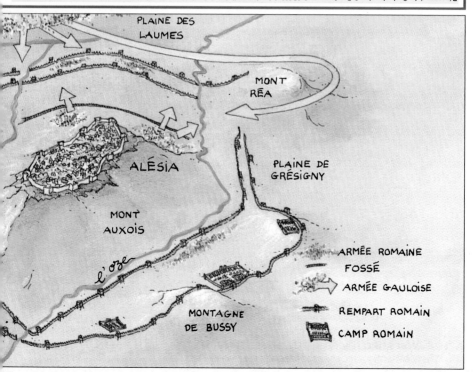

PLAINE DES LAUMES

MONT RÊA

ALÉSIA

PLAINE DE GRÉSIGNY

MONT AUXOIS

l'Oze

MONTAGNE DE BUSSY

ARMÉE ROMAINE

FOSSÉ

ARMÉE GAULOISE

REMPART ROMAIN

CAMP ROMAIN

Les secrets des fouilles

Ce casque gaulois en fer, retrouvé à Alésia, portait des couvre-joues.

Voici des flèches, des épées et l'*umbo* d'un bouclier trouvés dans un fossé d'Alésia.

Images Doc a rencontré un spécialiste d'Alésia au musée des Antiquités nationales de Saint-Germain-en-Laye.

Comment connaît-on le lieu de la bataille d'Alésia ?

Jules César est le premier qui a décrit la bataille d'Alésia. En effet, il a écrit *De bello gallico*, le récit de la guerre des Gaules. Au XIXᵉ siècle, des spécialistes ont organisé des fouilles près de Dijon, sur le site d'Alésia, pour vérifier si le récit de Jules César était exact. On a alors découvert des traces du siège d'Alésia. Aujourd'hui, les fouilles continuent.

A-t-on retrouvé des fortifications romaines ?

Grâce aux photographies aériennes, on voit nettement la trace des fossés et des camps romains. En retournant la terre, les fouilleurs ont aussi ramassé les crochets pointus des pièges romains.

A-t-on découvert des armes ?

Des armes étaient
enfouies dans
les fossés : c'étaient
des balles de plomb,
des pointes de lance
et de flèche,
des casques en bronze,
des morceaux
de boucliers. Des
épées en fer ont aussi
été retrouvées intactes
dans leurs fourreaux.

Reste-t-il des traces des habitations de l'oppidum ?

On n'a pas encore
retrouvé de traces
des maisons. Mais
on sait que le village
n'a pas été détruit
après le siège d'Alésia.
Il était encore habité
au IIe et IIIe siècle
après Jésus-Christ.
Car on a découvert
des restes de piliers
datant de cette époque.
Récemment, une partie
du mur de pierre
qui entourait l'oppidum
a aussi été retrouvée.
Les poutres de bois
qui le soutenaient
ont disparu.
Seuls restent
de gros clous en fer.

**Cette pièce de monnaie gauloise en or
représente Vercingétorix.**

**Ce petit cavalier en bronze a été fabriqué par
un artisan gaulois au Ier siècle après Jésus-Christ.**

35

Qui étaient les Gaulois ?

Un casque en fer
avec un double rebord
et un couvre-nuque

Un manteau
avec un capuchon :
la saie

Une lance
en bois
avec
une pointe
en fer

Une
tunique
courte
ouverte
par devant

Une épée
en fer
avec une
poignée
en bronze

Un pantalon
en toile :
les *braies*

Des bottines
en cuir

Un bouclier en bois
avec au centre
un renfort en fer :
l'umbo

**Ce cavalier gaulois faisait partie des troupes
de renfort qui vinrent aider Vercingétorix à Alésia.**

En 52 avant Jésus-Christ, la Gaule ressemblait-elle à la France ?

Non. La Gaule était
un peu plus grande que
la France actuelle. Au
nord, elle était peuplée
de Belges. A l'ouest,
il y avait l'Armorique,
la Bretagne actuelle.
Au centre, c'était
la Gaule «chevelue»,
surnommée ainsi sans
doute car elle possédait
de grandes forêts
de sapins, de chênes
et de hêtres.
Au sud, la province
de la Narbonnaise
était occupée
par les Romains.

Vercingétorix était-il un grand chef gaulois ?

Oui.
Vercingétorix
était un noble,
chef des
Arvernes,
peuple
habitant
l'actuelle Auvergne.
Il connaissait bien
les tactiques de guerre
romaines car il avait
été cavalier chez les
Romains. Son peuple
dominait une grande
partie de la Gaule. C'est
pourquoi il fut élu chef
des peuples gaulois.

MINI-JEU

Est-ce vrai que le cavalier gaulois n'utilisait pas de selle ?

Non. On a longtemps pensé que le cavalier gaulois montait sans selle. En fait, il posait une couverture et une selle sur le dos de son cheval.
Il n'utilisait pas d'étriers pour caler ses pieds.
Au galop, tout en tenant les rênes, il appuyait ses mains sur des pommeaux situés à l'avant de la selle.

Les Romains et les Gaulois se faisaient-ils tout le temps la guerre ?

Non. Ils faisaient aussi du commerce ensemble. Les Romains venaient d'Italie pour acheter des chevaux, de l'étain ou du sel en Bretagne. Les Gaulois achetaient de la céramique et du vin aux Romains. Les échanges étaient si importants que les archéologues ont retrouvé des pièces de monnaie romaine partout en Gaule.

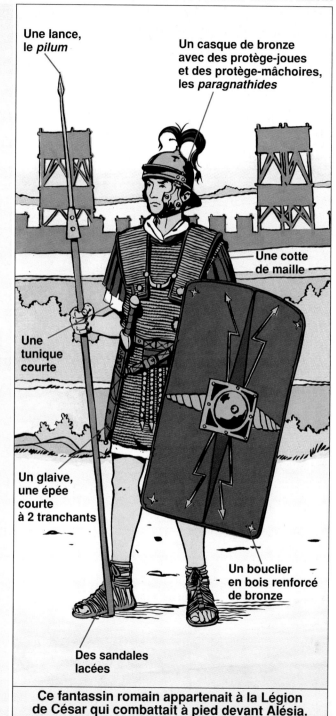

Une lance, le *pilum*

Un casque de bronze avec des protège-joues et des protège-mâchoires, les *paragnathides*

Une cotte de maille

Une tunique courte

Un glaive, une épée courte à 2 tranchants

Un bouclier en bois renforcé de bronze

Des sandales lacées

Ce fantassin romain appartenait à la Légion de César qui combattait à pied devant Alésia.

Des fortifications romaines imprenables

En 52 avant Jésus-Christ, César décida d'isoler les guerriers
de Vercingétorix dans Alésia et d'empêcher l'arrivée
des troupes de secours. Il fit donc creuser par ses légionnaires
un important système de défense : la circonvallation.
Ces défenses, formées de palissades, de profonds fossés
et de pièges meurtriers, encerclaient le site d'Alésia
sur plus de 15 kilomètres.

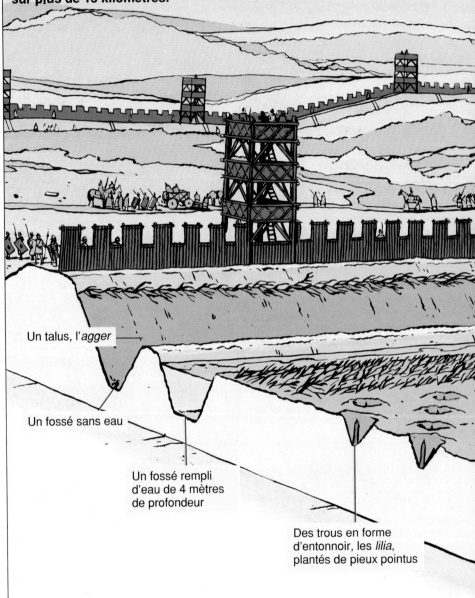

Un talus, l'*agger*

Un fossé sans eau

Un fossé rempli
d'eau de 4 mètres
de profondeur

Des trous en forme
d'entonnoir, les *lilia*,
plantés de pieux pointus

De hautes tours en bois qui servent de poste de guet aux Romains

Une palissade en bois

Des branchages pointus, les *cervi*

Des crochets en fer, les *stimuli*

Des pieux taillés en pointe, les *lys*

LABYRINTHE

Des soldats gaulois se sont perdus en venant aider Vercingétorix assiégé dans Alésia. Aide-les à retrouver leur chemin en évitant les terribles pièges romains.

ARRIVÉE

DÉPART

QUIZZ

Lis bien tout le dossier sur Vercingétorix avant de jouer.

1 Les pieux plantés par les Romains pour blesser les Gaulois s'appelaient :

☐ des roses

☐ des lys

☐ des cactus

2 Alésia fut prise par les Romains en :

☐ 52 avant Jésus-Christ

☐ 5 après Jésus-Christ

☐ 52 après Jésus-Christ

3 Certains soldats de l'armée romaine s'appelaient :

☐ des religionnaires

☐ des légionnaires

☐ des légataires

4 Le site d'Alésia se trouve près de :

☐ Brest

☐ Dijon

☐ Marseille

5 L'armée romaine comptait :

☐ 700 hommes

☐ 7 000 hommes

☐ 70 000 hommes

6 Les casques gaulois avaient parfois :

☐ des couvre-joues

☐ un couvre-nez

☐ un couvre-menton

7 Les camps romains étaient protégés par un mur qui mesurait :

☐ 1 km de long

☐ 15 km de long

☐ 50 km de long

8 Un village fortifié gaulois s'appelait :

☐ un podium

☐ un oppidum

☐ un opium

Réponses - QUIZZ - 1. Des lys, 2. 52 avant Jésus-Christ, 3. Des légionnaires, 4. Dijon, 5. 70 000 hommes, 6. Des couvre-joues, 7. 15 km de long, 8. Un oppidum.

Les événements qui ont marqué l'histoire

L'INVASION DES VIKINGS

Du VIIe au Xe siècle, des peuples du nord de l'Europe, les Vikings, s'embarquent sur leurs drakkars, à la conquête de terres nouvelles. Ils longent les côtes de la France jusqu'en Italie. Leurs drakkars remontent même des fleuves, comme la Seine. Certains pillent des villes. D'autres s'installent sur des terres pour les cultiver surtout en Angleterre.

L'INVENTION DU MOULIN A VENT

Au XIe siècle, en Europe, des hommes réussissent à maîtriser une nouvelle énergie : le vent. Ils construisent des moulins aux ailes immenses, au sommet des collines. Ces moulins servent à moudre le blé pour préparer un aliment essentiel : le pain.

EN FRANCE, AU FIL DU TEMPS

Les Romains construisent des aqueducs qui apportent l'eau dans les villes.

Clovis est baptisé par l'évêque de Reims avec de nombreux guerriers.

50 avant JC	Naissance de Jésus-Christ	406	476	481
La Gaule devient romaine.		Des Barbares envahissent la Gaule.	C'est la fin de la domination romaine en Occident.	Clovis devient roi des Francs.

... de la Gaule romaine au Moyen Age

UN VILLAGE VERS L'AN 1200

un moulin à vent

une abbaye

un pont en bois

un moulin à eau

un château-fort

JEU Observe dans ce paysage les éléments apparus à cette époque. Compare ce paysage avec ceux des pages 25 et 61 et découvre sa transformation au fil des siècles.

Charlemagne développe l'école dans tout le royaume franc.

Des châteaux forts abritent seigneurs et paysans en cas d'attaque.

LE MOYEN AGE

800	843	900	1095
Charlemagne est couronné empereur d'Occident.	L'empire de Charlemagne est partagé entre ses trois petits-fils.	Les Vikings envahissent le Nord de la France.	Des chevaliers croisés partent pour Jérusalem.

Moyen Age : l'attaque de la cité de Carcassonne

- **Les préparatifs des combats**
- **A l'assaut des remparts**
- **Des chevaliers courageux**
- **Les armes et les armures**
- **Les défenses du château fortifié**

*Savez-vous que Carcassonne, au sud de la France,
a gardé ses remparts et son château du Moyen Age !
Pourtant, cette ville a été attaquée de nombreuses fois.
Voici, en 1209, l'histoire du siège de la cité par les croisés...*

Les préparatifs des combats

Le seigneur Trencavel quitte son château.
Il part organiser la défense de Carcassonne.

A cheval, Trencavel inspecte les fortifications.
Il donne l'ordre de les renforcer avec des poutres.

Sur une tour de guet, des soldats surveillent
l'armée des croisés, installée près de la rivière.

Le lieu du combat : Carcassonne

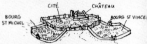

Au XIIIe siècle, Carcassonne était une petite ville protégée par d'épaisses murailles. Le seigneur habitait dans le château. Les artisans, et les marchands logeaient dans la cité et les deux bourgs. Les paysans, eux, vivaient à l'extérieur des remparts.

A l'intérieur des remparts : le seigneur Trencavel

Ce chevalier était le seigneur de Carcassonne. Les artisans de la cité travaillaient pour lui. Les paysans, *les vilains*, cultivaient ses terres. En échange, il les protégeait.

Dans la plaine : le croisé Simon de Montfort

Ce chevalier était un chef croisé. Avec son armée, il venait combattre ceux qui n'étaient pas chrétiens. Ceux-ci étaient nombreux à Carcassonne et dans le sud de la France.

46

15 jours avant l'attaque : faire des provisions

Avant l'attaque des croisés, il fallait stocker des provisions. Les paysans tuaient les animaux et conservaient la viande dans du sel. Les femmes faisaient des réserves d'eau.

5 jours avant l'attaque : préparer les armes

Les hommes d'armes rassemblaient des centaines de flèches et de boulets. L'écuyer préparait les armes du seigneur. Il soignait aussi *le destrier*, le cheval de combat du seigneur.

La veille de l'assaut : réunir les alliés

Les guerres commençaient toujours à la belle saison car les cavaliers étaient sûrs de trouver de l'herbe pour nourrir leurs chevaux.
A l'approche du combat, des seigneurs voisins venaient aider Trencavel.

Des hommes dépècent des vaches. Des femmes partent remplir les outres dans l'eau de la rivière.

L'écuyer vérifie l'armement du seigneur Trencavel : son épée, sa cotte de mailles, son heaume.

La veille du combat, Trencavel dine avec les seigneurs venus l'aider à défendre la ville.

47

A l'assaut des remparts

Début août

Simon de Montfort, le chef des croisés, combat à cheval le seigneur Trencavel et ses chevaliers.

À l'assaut !

Par là !

Des croisés grimpent le long des murs du bourg Saint-Michel avec de larges échelles de bois.

Deux jours plus tard

Alignez les mangonneaux !

Les assaillants bombardent les remparts avec des pierres lancées par des machines de guerre.

En août 1209, le *chroniqueur* du seigneur Trencavel écrit l'histoire du siège de Carcassonne. Voici son récit.

À la tête des croisés, il y a Simon de Montfort. En face, le seigneur Trencavel et ses chevaliers. Tous combattent à cheval. Les épées s'entrechoquent avec force. Chacun essaie de tuer le cheval d'un ennemi ou de percer sa cotte de mailles d'un coup d'épée.

*L*es soldats croisés qui escaladent les murailles reçoivent des flèches et des jets de pierre. Nos hommes repoussent leurs échelles avec de longues fourches de bois.

*L*es croisés ont installé leurs machines de guerre. Certaines sont si lourdes qu'ils les ont construites devant les remparts. Ils ont apporté les autres sur des chariots de bois. Et ils nous bombardent de boulets !

Cachés sous des chariots de bois couverts de peaux, des soldats creusent un trou à la base de la muraille. Les habitants du bourg jettent des fagots enflammés devant le trou, pour empêcher l'avancée des croisés.

Trois mille personnes s'abritent maintenant dans la cité. Il y a assez de provisions, mais l'eau commence à manquer. Les puits et la rivière sont aux mains des croisés. Les enfants et les bêtes ont soif car la chaleur est terrible !

Nos hommes résistent et le siège pourrait durer longtemps. Hélas les citernes de la cité sont à sec ! Trencavel décide donc de rendre les armes. Simon de Montfort l'emprisonne, mais il accepte que les habitants aient la vie sauve.

Quelques jours après

Regardez ! Le mur cède !

Des soldats croisés percent un énorme trou dans le rempart. Puis ils envahissent le bourg.

Repliez-vous dans la cité ! C'est notre seule chance !

Affolés, les habitants des bourgs se réfugient dans la cité. Mais l'eau commence à manquer.

Mi-août

Me voici seigneur de Carcassonne.

Pour sauver les habitants, le seigneur Trencavel rend les armes à Simon de Montfort.

JEU HISTOIRE

Lis bien tout le dossier sur l'attaque de Carcassonne avant de jouer

MELI-MELO

*La grande illustration ci-dessous montre le siège de Carcassonne.
Et chacune des six petites images est un détail de la bataille.
Essaie de replacer chaque détail de la bataille à l'endroit exact
où il s'est passé. Inscris le bon numéro sous chaque petite image
et tu sauras dans quel ordre se sont passés les événements.
Pour t'aider, regarde bien la bande dessinée p. 30-33.*

A ☐ **Les chevaliers et les croisés
combattent devant les murailles.**

B ☐ **Les machines de guerre tirent
des boulets sur le rempart.**

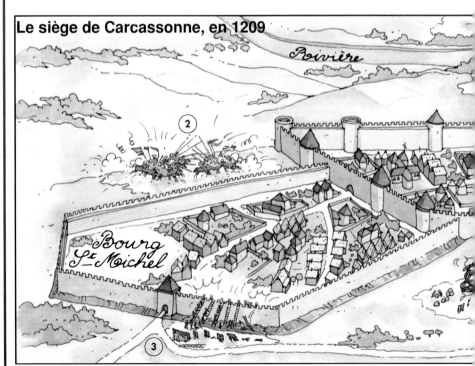

Le siège de Carcassonne, en 1209

C ☐ Des soldats grimpent sur des échelles le long des remparts.

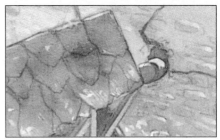

E ☐ Les soldats font une brèche dans le rempart.

D ☐ Les croisés installent leur camp sur les rives de l'Aude.

F ☐ Le seigneur Trencavel se rend à Simon de Montfort.

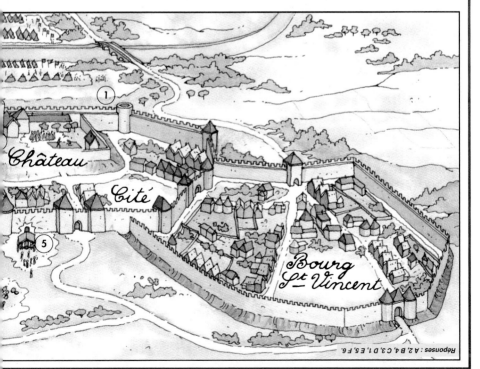

Château

Cité

Bourg St Vincent

Réponses : A2, B4, C3, D1, E5, F6.

Des chevaliers courageux

Au combat, chaque chevalier portait un bouclier orné de dessins, les armoiries.

Pendant une attaque, des femmes lançaient aussi des pierres sur les ennemis.

Au Moyen Age, beaucoup de combattants à cheval étaient des chevaliers. Ils avaient suivi une éducation particulière.

L'apprentissage

Vers 13 ans, les fils de familles riches qui voulaient devenir chevaliers quittaient leur château. Ils étaient écuyers chez un seigneur. Ils apprenaient à manier l'épée et à monter à cheval. Pendant un combat, ils récupéraient les chevaux et les armes abandonnés par les adversaires.

L'adoubement

A 20 ans, le jeune garçon pouvait devenir chevalier. Le seigneur, son parrain, posait son épée sur son épaule. C'était la *paumée*. Puis à genoux, les mains jointes, le nouveau chevalier prêtait serment de fidélité.

Le code d'honneur

Le chevalier s'engageait
à être fidèle à son
seigneur. Il devait aussi
protéger les veuves
et les orphelins, être
généreux et *vaillant*,
c'est-à-dire bon guerrier.
En échange, le seigneur
lui donnait des terres
et parfois de l'argent

L'entraînement

En temps de paix,
le chevalier chassait
le cerf, le sanglier
et le loup. Il s'entraînait
aussi à l'escrime.
Parfois, les écuyers
dressaient un mannequin
de paille dans la cour
du château. Le chevalier
lançait au galop
son cheval et tentait de
renverser le mannequin
avec sa lance.

Les tournois

Les chevaliers luttaient
à cheval avec des
lances. Les vainqueurs
de ces tournois
reçevaient une couronne
ou un faucon dressé
à la chasse. Les vaincus
abandonnaient
armes et chevaux.

**Le chevalier avait la tête bien protégée
par un casque.**

**Les fines mailles de fer du haubert protégeaient
bien le chevalier des coups d'épée.**

53

Les armes et les armures

Un bacinet :
une sorte de casque
porté au-dessus du
capuchon de mailles.

Un gantelet
en mailles :
il protège
la main.

Une cotte
d'armes :
elle est marquée
d'une croix,
symbole
des croisés.

Des chaussures
en fer, des solerets.

Une épée de fer
de 1 mètre
de long et
pesant 2 kilos.

**Le chevalier croisé s'est engagé à combattre
contre ceux qui ne sont pas chrétiens.**

*Voici les techniques
de combat utilisées
par les croisés à
l'extérieur des remparts.*

L'assaut

Des sergents
commandaient l'assaut.
Des soldats sautaient
alors dans les fossés.
Puis ils grimpaient
sur des échelles posées
le long des murailles.

Le bombardement

Des soldats actionnaient
des machines de jets
en tirant sur des cordes.
Ces *mangonneaux*
projetaient
10 à 20 boulets par jour
sur les murailles.

La démolition

Des *sapeurs*, équipés
de poutres en bois,
perçaient un trou
dans les remparts.
Puis ils enflammaient
l'ouverture avec des
fagots pour faire tomber
les pierres des murs.

MOTS-CLES

*Derrière les remparts,
les assiégés utilisaient
d'autres armes
pour se défendre.*

Les tirs d'arbalètes

Des arbalétriers
utilisaient des arbalètes
de 8 kg. Le soldat
plaçait d'abord l'arbalète
entre ses jambes. Puis
il tirait fort sur un ressort
en fer. Enfin, il plaçait
une flèche qui partait
à plus de 300 mètres.

Les projections légères

Les archers s'abritaient
derrière des petites
ouvertures, les *archères,*
percées dans le rempart.
Ils utilisaient des arcs
en bois d'if de 1,5 mètre
de haut, qui tiraient
6 à 7 flèches à la minute.
Les flèches atteignaient
une cible à 100 mètres.

Les ruses

Des habitants de la cité
sortaient précipitamment
du château. C'était
une ruse : les croisés,
surpris, croyaient alors
à une importante attaque
et se déplaçaient
inutilement vers l'endroit
de l'agitation.

Une hache
au manche de bois.

Un heaume :
un casque de fer
percé de fentes
pour le nez
et les yeux.

Un haubert :
une cotte de mailles
qui protège le corps,
du cou jusqu'aux
genoux.

Des chausses
en mailles
soudées.

Un bouclier
en métal.

**Au Moyen Age, le chevalier défend
ses terres et les hommes dont il est le seigneur.**

55

Les défenses du château fortifié

Une tour de guêt :
sur la terrasse, les soldats
surveillent les environs.

La herse :
une grille de fer
qui s'abaisse
en cas de danger.

Une passerelle en bois
détruite avant
une attaque pour
empêcher l'ennemi de
pénétrer dans le château.

Une barbacane :
une fortification placée
à l'extérieur du château
devant le fossé.

La cité

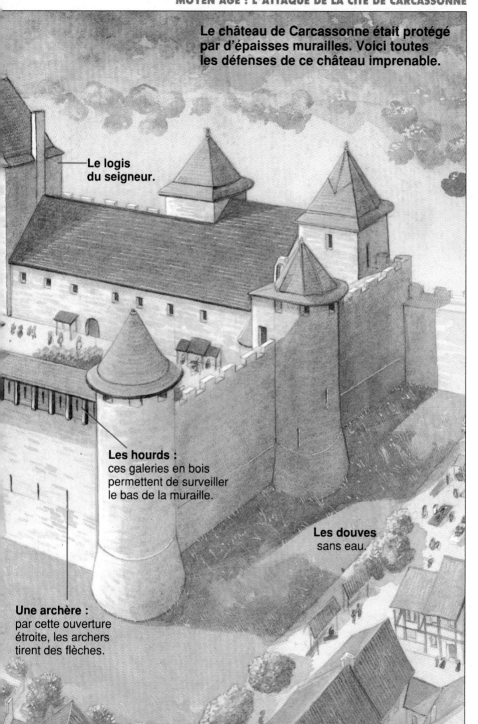

Le château de Carcassonne était protégé par d'épaisses murailles. Voici toutes les défenses de ce château imprenable.

Le logis du seigneur.

Les hourds :
ces galeries en bois permettent de surveiller le bas de la muraille.

Les douves
sans eau.

Une archère :
par cette ouverture étroite, les archers tirent des flèches.

MOT CACHÉ

Inscris sur cette grille les noms des armes et des armures des chevaliers du Moyen Age. Tu liras verticalement le nom d'un chevalier légendaire.

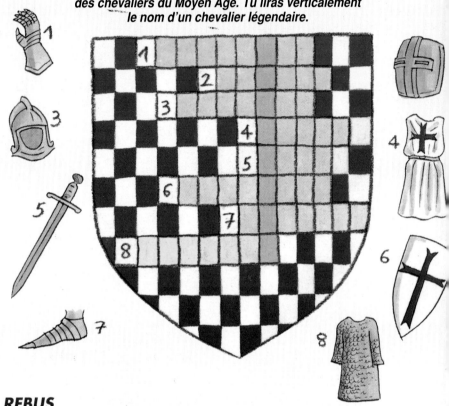

REBUS

Au Moyen Age, beaucoup de chevaliers participèrent à une expédition lointaine. Déchiffre ce rébus pour connaître le nom de cette expédition.

QUIZZ

Lis bien tout le dossier sur la cité de Carcassonne avant de jouer.

1 Les dessins qui décoraient les boucliers s'appellent :

- des armoires
- des armoiries
- des armureries

2 Les mangonneaux étaient :

- des plats médiévaux
- des machines de guerre
- des brèches dans un rempart

3 La cité de Carcassonne est située :

- au sud de la France
- au nord de la France
- à l'est de la France

4 Avant de devenir chevalier, il fallait être :

- novice
- apprenti
- écuyer

5 A l'intérieur de la cité de Carcassonne, il y avait :

- 300 habitants
- 3 000 habitants
- 30 000 habitants

6 Une fortification du château s'appelait :

- une sarbacane
- une sardane
- une barbacane

7 Les galeries de bois du château s'appelaient :

- des bourgs
- des hourds
- des lourds

8 Le siège de Carcassonne eut lieu en :

- 209
- 1029
- 1209

Réponses - MOT CACHE - 1. Gantelet. 2. Heaume. 3. Bacinet. 4. Cotte. 5. Epée. 6. Bouclier. 7. Soleret. 8. Haubert. Le nom du chevalier : Lancelot. REBUS - la croisade en Terre Sainte (lac-roi-za-dent-Terre-saint-t'-œufs). QUIZZ - 1. Des armoiries. 2. Des machines de guerre. 3. Au sud de la France. 4. Ecuyer. 5. 3 000 habitants. 6. Une barbacane. 7. Des hourds. 8. 1209.

59

Les événements qui ont marqué l'histoire

LES GRANDES DECOUVERTES

A partir du XVᵉ siècle, les rois d'Espagne et du Portugal organisent des expéditions lointaines sur les mers. En 1492, Christophe Colomb aborde l'Amérique. En 1498, Vasco de Gama découvre la route des Indes. Et Magellan accomplit le tour du monde entre 1519 et 1522. Ces navigateurs rapportent de leurs voyages de l'or, de l'argent et des épices.

L'INVENTION DE L'IMPRIMERIE

Vers 1440, l'Allemand Gutenberg invente l'imprimerie. En pressant des feuilles de papier sur des lettres de plomb enduites d'encre, il réussit à reproduire une même page en plusieurs exemplaires. Cette invention permet d'imprimer les livres au lieu de les recopier un à un.

EN FRANCE, AU FIL DU TEMPS

Louis IX et des chevaliers partent en croisade vers Jérusalem.

Des paysans se révoltent contre les seigneurs. Ce sont les «Jacqueries».

LE MOYEN AGE

1226	1337	1347	1431
Louis IX (saint Louis) devient roi de France.	C'est le début de la guerre de Cent Ans.	La «peste noire» ravage la France.	Jeanne d'Arc est brûlée vive à Rouen.

... du Moyen Age à la Renaissance

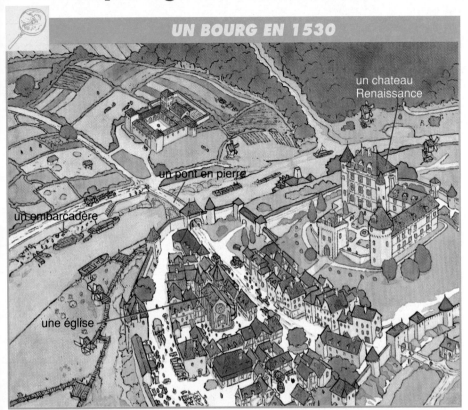

UN BOURG EN 1530

un chateau Renaissance

un pont en pierre

un embarcadère

une église

JEU Observe dans ce paysage les éléments apparus à cette époque. Compare ce paysage avec ceux des pages 43 et 77 et découvre sa transformation au fil des siècles.

François 1er fait bâtir de superbes châteaux au bord de la Loire.

Le 25 août 1572, beaucoup de protestants sont massacrés dans Paris.

LA RENAISSANCE

1515	1562	1589	1598
François 1er est roi de France jusqu'en 1547.	Les protestants et les catholiques s'entretuent.	Henri IV devient roi de France.	L'Edit de Nantes met fin aux guerres de religion.

61

Une journée à Paris avec Henri IV en 1608

- **Dans les rues de Paris**
- **En famille au Louvre**
- **La France se modernise**
- **Une foule de serviteurs**
- **Le pont Neuf et les quais de la Seine**

Quand Henri IV devint roi en 1589, la France était déchirée par des luttes terribles entre les protestants et les catholiques. Peu à peu, il réussit à rétablir la paix et à enrichir le royaume.

Accompagnez Henri IV un jour de l'an 1608 dans Paris. Vous découvrirez un roi qui sort sans escorte, se mêle à la foule et entreprend de grands travaux.

Dans les rues de Paris

Paris, 1608, au château du Louvre

Le calme est revenu en France.

Maintenant le peuple mange à sa faim !

A son lever, le roi Henri IV discute des affaires du royaume avec son ministre des finances Sully.

Paris se modernise. Allons voir ça...

Henri IV et son conseiller trébuchent contre des valets qui dorment encore dans l'escalier.

Près de la Seine

Paysanne, tu as là une bien belle vache !

Regardez ! le roi.

Quelle agitation sur les quais ! Des paysans vont vendre leurs bestiaux au marché.

La capitale du royaume

Au début du XVIIe siècle, Paris comptait 400 000 habitants. La ville était divisée en quartiers. Il y avait le quartier des écoles, de l'université, des marchands de meubles... Autour de la ville, c'était la campagne.

Le Louvre, un château royal

Le roi Henri IV habitait le plus souvent à Paris, au château du Louvre. Cet immense château était inconfortable. Les escaliers et les couloirs servaient de dortoirs aux serviteurs. Henri IV, qui voulait un palais moderne, décida d'aménager le Louvre.

L'agrandissement du Louvre

Henri IV fit construire une galerie couverte le long de la Seine pour relier le château du Louvre au château des Tuileries. Cette galerie mesurait 442 mètres de long ! En cas de révolte, elle permettait de s'enfuir du château.

L'embellissement de Paris

Les rues de la capitale étaient étroites et sales car les Parisiens jetaient leurs ordures par les fenêtres. Le soir, les rues étaient mal éclairées par des lanternes à bougies. Henri IV fit construire des ponts, des places et paver les ruelles.

L'alimentation en eau

La plupart des maisons n'avaient pas l'eau courante. Des porteurs d'eau remplissaient leurs seaux dans des fontaines publiques ou dans la Seine, puis ils livraient l'eau à domicile.

Une pompe à eau moderne

Une pompe à eau construite sur le pont Neuf alimentait le château du Louvre et les jardins royaux. Une grande roue puisait l'eau dans la Seine. L'eau circulait ensuite dans les canalisations installées dans les arches du pont.

Henri IV et Sully galopent vers le pont Neuf jusqu'à la première pompe à eau de Paris.

Le roi visite l'intérieur du bâtiment de la pompe. L'ingénieur lui explique le mécanisme.

Henri IV et Sully déjeunent avec les artisans. Ils discutent avec eux et écoutent leurs plaintes.

65

En famille au Louvre

De retour au Louvre, Henri IV s'entraîne au jeu de paume devant ses courtisans admiratifs.

> Le roi est adroit.

> Il monte bien au filet.

A la fin de la partie, la reine Marie de Médicis et son fils Louis entrent dans la salle.

> Moi aussi, je veux jouer.

Le roi offre une surprise à son fils. C'est un faucon pour la chasse.

> Nous irons ensemble le faire voler dans la forêt.

L'entourage du roi

Henri IV vivait au Louvre entouré de nombreux courtisans. Certains étaient des princes, des ducs, des officiers... D'autres étaient des petits nobles, des femmes riches, des gens modestes qui plaisaient au roi. Henri IV les faisait tous vivre.

Le rôle de la reine

L'épouse d'Henri IV était une princesse italienne, Marie de Médicis. Elle gouvernait ses dames de compagnie et ses servantes. Elle veillait aussi à l'aménagement du château du Louvre.

L'éducation de l'enfant roi

Le fils d'Henri IV, le futur Louis XIII, apprit très tôt le métier de roi. Enfant, il assistait avec son père à des réunions importantes. Pour se détendre, le roi et son fils chassaient ou se baignaient dans la Seine.

Les jeux et les plaisirs

Les divertissements étaient nombreux. Le roi organisait des tournois de chevaux dans la cour du Louvre. Il pratiquait aussi un jeu de balle, le jeu de paume. Ses courtisans donnaient des bals dans la grande galerie.

Le jugement royal

Chaque jour, le roi recevait des ambassadeurs, des conseillers de justice, des évêques. Les audiences avaient lieu n'importe où, dans la rue, dans la chambre du roi ou dans la grande galerie. Le jugement du roi était très important.

Un royaume très puissant

En 1608, la France était puissante et riche. C'était un modèle pour les autres pays d'Europe. Henri IV cherchait à améliorer les relations entre tous les pays d'Europe.

Plus vite, les chiens!

Qu'il est drôle!

Ensemble, ils vont dans la grande galerie. Louis conduit un mini-carrosse tiré par des chiens.

Sire, l'ambassadeur est aux portes de Paris.

Un messager court vers le roi. Il lui annonce la venue de l'ambassadeur d'Espagne.

Dans le cabinet du roi

Aujourd'hui l'Espagne et la Hollande ne s'affrontent plus.

Tard dans la nuit, le roi et l'ambassadeur discutent des grands projets pour Europe.

La France se modernise

Sous le règne du «bon roi Henri»,
davantage de gens mangèrent à leur faim.

Dans des ateliers de Lyon, des femmes fabriquaient
le fil de soie avec les cocons du ver à soie.

Au XVIIe siècle, les premiers coches de voyage
circulaient dans Paris sur les berges de la Seine.

*Henri IV fut un roi
très actif. Beaucoup
de transformations
ont eu lieu en France
pendant son règne.*

L'assèchement des marais

Comme il n'y avait
pas assez de terres
cultivables, Henri IV
décida d'assécher des
marais autour de Paris
et dans le Poitou. Des
pauvres s'installèrent
sur ces nouvelles terres
pour les cultiver ou faire
paître leurs bêtes.

Des plantes nouvelles

Le roi encouragea les
travaux d'un agronome,
Olivier de Serres.
Celui-ci fit connaître
aux Français le melon
et surtout le mûrier pour
la culture du ver à soie.
Peu à peu, les paysans
riches cultivèrent
ces nouvelles plantes.

Les voies de communication

Des ingénieurs
construisirent des ponts
de pierre à la place
des ponts de bois.
Les routes de terre
furent pavées
et bordées d'arbres.

La réforme des écoles

Le roi multiplia
le nombre des collèges,
fréquentés surtout
par de jeunes nobles.
Il modernisa l'université
de Paris. Il fonda aussi
à Paris le premier
collège de chirurgiens.

Le commerce de luxe

Le roi
décida de créer
des manufactures
de cristal à Rouen,
de tapis et
de tapisseries à Paris.
Dans ces ateliers
royaux, d'habiles
artisans travaillaient
ensemble. Leurs
luxueuses productions
étaient vendues
dans toute l'Europe.

De nouveaux territoires

Henri IV voulait
conquérir de nouvelles
terres. En 1608, il
expédia un explorateur,
Samuel Champlain,
en Amérique du Nord.
Celui-ci fonda la ville
de Québec où des
Francais s'installèrent.
C'était la première
colonie francaise,
la «Nouvelle France».

**Des savants, comme Ambroise Paré,
firent progresser la médecine et la chirurgie.**

QUEBEC VEU DE L'EST

**Sur cette gravure, dessinée en 1699, on voit
la ville de Québec au bord du fleuve Saint-Laurent.**

Une foule de serviteurs

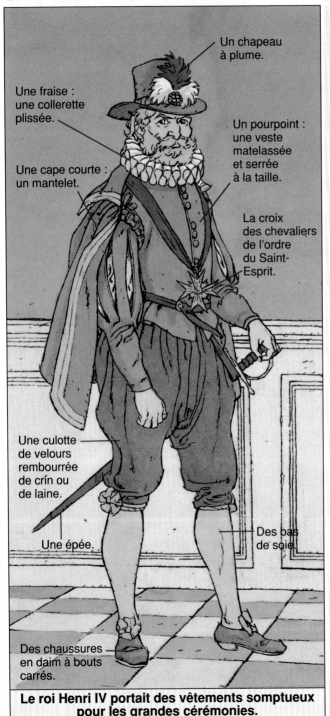

Un chapeau
à plume.

Une fraise :
une collerette
plissée.

Un pourpoint :
une veste
matelassée
et serrée
à la taille.

Une cape courte :
un mantelet.

La croix
des chevaliers
de l'ordre
du Saint-
Esprit.

Une culotte
de velours
rembourrée
de crin ou
de laine.

Des bas
de soie.

Une épée.

Des chaussures
en daim à bouts
carrés.

**Le roi Henri IV portait des vêtements somptueux
pour les grandes cérémonies.**

*Au XVIIe siècle,
beaucoup de gens
vivaient au château
du Louvre. Ils étaient
au service de
la famille royale.*

Les gouvernantes

Elles s'occupaient
des enfants royaux
car ils vivaient peu
avec leurs parents.
Elles les allaitaient
et les élevaient.
La nuit, elles veillaient
sur leur sommeil.

Les dames de compagnie

Elles vivaient
près de la reine.
Elles l'aidaient
à choisir des tissus
pour confectionner
ses robes. Elles
la conseillaient dans
l'achat de porcelaines
et de tapisseries.

Les serviteurs

Des laquais
choisissaient
les vêtements du roi.
Des valets installaient
le mobilier et
préparaient les salles
pour les fêtes.
Des palefreniers
soignaient les chevaux
des écuries royales.

Les artistes

Ils travaillaient
pour Henri IV et les
puissants du royaume.
Les sculpteurs
décoraient
les façades du château.
Les peintres réalisaient
des portraits du roi
et de la reine, habillés
de tuniques comme des
Romains de l'Antiquité.

Les artisans

Ils avaient
leurs boutiques
au rez-de-chaussée
de la grande galerie
du Louvre. Au-dessus,
dans leurs ateliers,
ils confectionnaient
des pièces d'orfèvrerie
et des horloges. Des
menuisiers fabriquaient
des meubles en bois
précieux.

Les corps de garde

Ces soldats
surveillaient les cours,
les tours et les entrées
du château. D'autres
montaient la garde
nuit et jour devant les
appartements royaux.
La surveillance était
très importante car des
hommes hostiles au roi
voulaient l'assassiner.

Une collerette
plissée
en éventail.

Des manches
bouillonnées,
c'est-à-dire
froncées.

Une robe en soie rouge
brodée de fils d'argent.
En dessous, les femmes
portent une armature
en jonc, le vertugade,
qui donne à la robe
une forme ample.

Des chaussures
à talons.

Un jupon
en satin.

**Marie de Médicis aimait les robes brodées
de fils d'or, d'argent et de pierreries.**

Le pont Neuf et les quais de la Seine

Le pont Neuf, achevé pendant le règne d'Henri IV,
est le premier pont de pierre de Paris construit sans maisons
et bordé de trottoirs. C'est le lieu de rendez-vous des dames
de la cour, des étudiants, des arracheurs de dents,
des marchands ambulants et des voleurs de bourse!

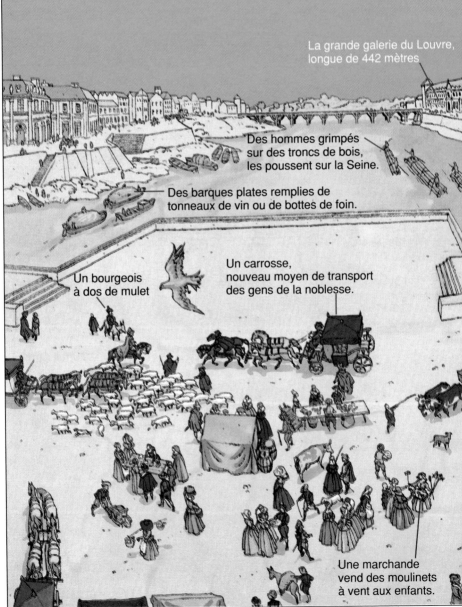

La grande galerie du Louvre,
longue de 442 mètres

Des hommes grimpés
sur des troncs de bois,
les poussent sur la Seine.

Des barques plates remplies de
tonneaux de vin ou de bottes de foin.

Un bourgeois
à dos de mulet

Un carrosse,
nouveau moyen de transport
des gens de la noblesse.

Une marchande
vend des moulinets
à vent aux enfants.

La petite galerie

Le pavillon du roi

L'ancien château du Louvre

Sur un bateau lavoir, des lavandières lavent leur linge.

La pompe à eau de la Samaritaine

Un marchand de vinaigre

Un rémouleur aiguise des ciseaux et des couteaux sur sa meule.

Une marchande d'huîtres

Un pêcheur à la ligne

Un porteur d'eau remplit ses seaux.

OBJET PERDU

Chacune de ces huit personnes a perdu un objet indispensable pour exercer son métier. Aide-la à le retrouver.

☐ lavandière

marchand de peaux

☐ porteur de fagots

☐ porteur d'eau

☐ oiseleur

☐ rémouleur

☐ vinaigrier

☐ marchande de moulinets

REBUS

Découvre une phrase célèbre prononcée par le roi Henri IV.

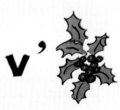

QUIZZ

Lis bien tout le dossier sur Henri IV avant de jouer.

1 Sully, l'ami et conseiller d'Henri IV, était :

- Premier ministre
- ministre de l'Agriculture
- ministre des Finances

2 Au XVIIe siècle, les rues de Paris étaient éclairées par :

- des lampes à gaz
- des lanternes à bougies
- des lampes à huile

3 L'explorateur qui fonda la 1ere colonie française s'appelait :

- Champollion
- Champlain
- Chaplin

4 Au temps d'Henri IV, les gens riches portaient autour du cou :

- une framboise
- une myrtille
- une fraise

5 Au début du XVIIe siècle, la population de Paris comptait :

- 40 000 habitants
- 400 000 habitants
- 4 millions d'habitants

6 La grande galerie du Louvre mesure :

- 50 mètres
- 200 mètres
- 442 mètres

7 La cape portée par le roi s'appelait :

- un bacinet
- un mantelet
- un martinet

8 Henri IV pratiquait un sport. C'était :

- la paume
- le badminton
- le tennis

Réponses - OBJET PERDU - Lavandière 1. Marchand de peaux 2. Porteur de fagots 8. Porteur d'eau 5. Oiseleur 4. Rémouleur 3. Vinaigrier 6. Marchande de moulinets 7. REBUS : ralliez-vous à mon panache blanc (rat îlé-v'houx-a-mont-pas-n'hache-blanc). QUIZZ - 1. Premier ministre. 2. Des lanternes à bougies. 3. Champlain. 4. Une fraise. 5. 400 000 habitants. 6. 442 mètres. 7. Un mantelet 8. La paume.

Les événements qui ont marqué l'histoire

LA COLONISATION DE L'AMERIQUE

Au XVIIe siècle, des Anglais, mais aussi des Français, des Hollandais et des Suédois partent en Amérique du Nord pour former des colonies. Ils s'installent sur des territoires habités par des Indiens. Aidés par des soldats, ils massacrent beaucoup de tribus.
En 1776, treize colonies deviennent indépendantes. C'est la naissance des Etats-Unis d'Amérique.

L'INVENTION DE LA LUNETTE ASTRONOMIQUE

Au XVIIe siècle, un savant italien, Galilée, invente une lunette astronomique. Avec cet instrument, il découvre pour la première fois les taches du Soleil, les anneaux de Saturne et les cratères de la Lune. Grâce à ses observations, il démontre que la Terre tourne autour du Soleil.

EN FRANCE, AU FIL DU TEMPS

Henri IV est poignardé dans une rue de Paris par Ravaillac en 1610.

Vincent de Paul et des religieuses recueillent des enfants abandonnés.

LE TEMPS DES ROIS

1600	1608	1610
La France se modernise grâce à Henri IV et son ministre Sully.	Jacques Cartier fonde la ville de Québec en Amérique du Nord.	Henri IV est assassiné à Paris.

... de la Renaissance à Louis XIV

UN GROS BOURG EN 1650

une route pavée

un coche

un élevage
de vers à soie

des halles

JEU Observe dans ce paysage les éléments apparus à cette époque. Compare ce paysage avec ceux des pages 61 et 93 et découvre sa transformation au fil des siècles.

La troupe de Molière joue une comédie devant Louis XIV.

Louis XIV organise de grandes fêtes à Versailles.

1624	1643	1661
Louis XIII gouverne avec le cardinal de Richelieu.	Mazarin gouverne avec le roi Louis XIV âgé de 4 ans.	Louis XIV règne seul. Il agrandit le château de Versailles.

Une journée à Versailles avec Louis XIV

- **La matinée du roi Soleil**
- **Un après-midi à la chasse**
- **Les coulisses du château**
- **Les bonnes manières à la cour**
- **Une fête nautique à Versailles**

images D'HISTOIRE

Au XVIIe siècle, le château de Versailles est une véritable fourmilière. Cinq à six mille serviteurs s'activent dans le château. Des milliers de nobles et de princes, les courtisans, se pressent autour du roi. Tous n'ont qu'un but : servir Louis XIV, le plus grand personnage du royaume.

La matinée du roi Soleil

Dans la chambre du roi

> Sire, il est 8 heures.

Le valet de chambre de Louis XIV tire les rideaux
du lit à baldaquin et réveille le roi.

8 h 15

> Tirez la langue.

Chaque matin, au lever, un médecin
et un chirurgien s'inquiètent de la santé du roi.

9 heures

> Cette perruque pour ce matin et celle-ci pour cet après-midi.

Le roi reçoit son barbier et son tailleur.
Puis, il choisit ses coiffures avec son perruquier.

La matinée du roi Louis XIV est organisée selon un horaire et un rite précis.

"Le petit lever"

8 heures

Pas de grasse matinée pour le roi. Dès son réveil, un médecin et un chirurgien l'auscultent et lui frictionnent le dos. En effet, le château est mal chauffé. Louis XIV dort sous un tas de couvertures et transpire beaucoup.

Le défilé des serviteurs

8 heures 15

Les serviteurs envahissent la chambre royale. Ils aident le roi à enfiler ses pantoufles, lui apportent sa robe de chambre. Un valet lui lave les mains et le visage. Puis le roi choisit des vêtements dans sa garde-robe.

"Le grand lever"

9 heures

La famille de Louis XIV vient le saluer. Derrière, les courtisans assistent à la toilette du roi comme à une cérémonie.

La messe

10 heures

Le roi se rend
à la chapelle. Pendant
le trajet, les courtisans
essayent de l'approcher,
d'obtenir un sourire,
de lui parler ou de lui
demander une faveur.
Du matin au soir,
la vie du roi se déroule
ainsi en public !

Le gouvernement

11 heures

Plusieurs fois par
semaine, Louis XIV
consulte son principal
ministre, Colbert.
Il reçoit aussi
ses architectes. Mais
il prend seul toutes
les décisions :
il a un pouvoir absolu.

Le dîner royal

13 heures

Louis XIV mange
dans sa chambre,
devant les courtisans
qui restent debout.
Parfois, le roi autorise
une dame de la cour
à s'asseoir sur
un tabouret. Quinze
plats sont servis au roi,
qui mange souvent
avec ses doigts !

**Le roi assiste à la messe dans la chapelle royale.
Les courtisans se bousculent pour le voir.**

**Le roi et son architecte étudient les plans
d'aménagement du château encore en chantier !**

**Le repas du roi est d'abord goûté par un
gentilhomme. Il vérifie qu'il n'y a pas de poison.**

Un après-midi à la chasse

14 heures

Mesdames, prenez place dans ces carrosses!

Entourés de gardes, le roi et la cour partent chasser dans l'immense parc du château.

15 heures

Derrière les cavaliers, des pages retiennent la meute de chiens. Ils sont prêts à bondir !

16 heures

Sire, vous êtes le plus grand chasseur du royaume.

Soudain, des canards s'envolent au-dessus d'un étang. Le roi tire et un oiseau tombe.

L'après-midi, la chasse est l'activité préférée du roi.

Le départ pour la chasse

14 heures

Plus de 50 personnes accompagnent le roi à la chasse. Un officier, "le grand veneur", organise la chasse. Les dames de la cour, montées en amazones sur leurs chevaux ou assises dans des carrosses, suivent les chasseurs.

A l'affût du gibier

15 heures

Le roi chasse faisans et canards dans les marais qui entourent le château. Parfois, il poursuit le cerf pendant des heures : c'est la chasse à courre. Il emmène toujours avec lui les chiens les plus rapides de sa meute, les "limiers".

Le tir au fusil

16 heures

A la chasse, seul le roi est armé et tire au fusil. En effet, des cavaliers armés pourraient le blesser par accident ou essayer de le tuer. Le chirurgien du roi est prêt à intervenir en cas d'accident.

EMPLOI DU TEMPS

La vie de famille

En fin de journée,
le roi Louis XIV et
la reine Marie-Thérèse
retrouvent leurs enfants.
Ceux-ci vivent avec
leur gouvernante dans
une partie du château.
Des précepteurs
assurent leur instruction.

Les divertissements

Le soir, Louis XIV se
divertit dans les salons
du château. Il joue
aux cartes, aux dés
ou au billard.
Parfois, le roi regarde
les courtisans danser
le menuet au son
du clavecin.

Le souper
aux chandelles

Certains soirs,
le roi offre des soupers
somptueux éclairés
aux chandelles à plus
de 200 invités. Les plats
sont servis dans
de la vaisselle d'or
ou d'argent. Puis, le
château retrouve
le calme. Le roi dort !

18 heures

De retour au château, le roi reçoit ses enfants.
Il surveille leur instruction.

20 heures

Le roi organise une partie de billard.
Il joue avec son frère contre deux gentilshommes.

22 heures

Pendant le souper, le roi offre à ses invités
un concert de violons, de flûtes et de guitares.

Les coulisses du château

Tu peux découvrir aujourd'hui les splendeurs de Versailles en visitant le château et le parc.

La galerie des Glaces porte ce nom à cause des immenses miroirs qui ornent ses murs.

30 000

C'est le nombre de charpentiers, de menuisiers, de couvreurs, de maçons, qui travaillèrent pendant plus de vingt ans à la construction et à l'aménagement du château de Versailles.

1 500

C'est le nombre de personnes qui s'occupaient de "la bouche du roi". Dans les cuisines, des pannetiers fabriquaient le pain, des rôtisseurs cuisaient les viandes, des échansons choisissaient le vin. Des maîtres d'hôtel servaient à table.

76

C'est en mètres la longueur de la galerie des Glaces, la plus grande pièce du château de Versailles. 17 fenêtres et 17 glaces immenses reflétaient la lumière. Au plafond, des peintures monumentales représentaient le roi dans toute sa puissance.

77

C'est l'âge de Louis XIV
à sa mort,
le 1ᵉʳ septembre 1715.
Il mourut de la gangrène,
une maladie
très douloureuse.
Les dernières années
de son règne furent
difficiles. En effet,
la France était en guerre
contre de nombreux
pays d'Europe : la
Hollande, l'Angleterre.

72

C'est le nombre
d'années de règne
de Louis XIV.
Ce fut le règne
le plus long de l'histoire
de France et d'Europe.

17

C'est le nombre
d'enfants de Louis XIV.
Six étaient nés de son
mariage avec la reine
Marie-Thérèse.
Onze enfants moururent
avant l'âge de 15 ans.
Au XVIIᵉ siècle,
un enfant sur deux
mourait avant
d'atteindre l'âge adulte.
En effet, la médecine
et l'hygiène étaient
encore très insuffisantes.

Louis XIV était appelé le roi Soleil. En effet, il était très orgueilleux, et se comparait au Soleil.

Le roi aimait se promener dans le parc de Versailles dessiné par le jardinier Le Nôtre.

Les bonnes manières à la cour

Un chapeau avec un plumet blanc

Une cravate avec un nœud de ruban

Des gants

La croix de Malte

Un baudrier : une bande d'étoffe pour passer l'épée

Un justaucorps : deux tuniques superposées. Celle du dessus brodée de fil d'or et d'argent porte des boutons de nacre.

Des bas de soie

Une canne avec un pommeau d'or

Des souliers à bouts carrés "à la cavalière"

Le roi Louis XIV portait des vêtements confectionnés dans de riches étoffes venues de Chine, d'Espagne, d'Angleterre.

MINI-INFOS

Découvrez les habitudes à la cour de Louis XIV.

Se laver avec modération

Les hommes et les femmes prenaient rarement un bain. Ils pensaient que l'eau était dangereuse pour la santé. La toilette quotidienne consistait à s'essuyer les mains et le visage avec un linge sec ou humide.

Se parfumer abondamment

Pour masquer leur odeur, les hommes et les femmes se parfumaient beaucoup. Comme ils ne se lavaient pas les dents, ils mâchaient de la menthe ou du fenouil pour avoir une bonne haleine.

Se coiffer d'une perruque

Avant   Après

Les perruques masculines étaient très à la mode. Elles étaient fabriquées avec des cheveux naturels ou avec une fibre végétale, le chanvre.

Se poudrer le visage

Les femmes couvraient leur visage d'une poudre blanche. En effet, le teint blanc était à la mode. Puis elles posaient sur leur visage des confettis en tissu noir, des "mouches". Selon sa place sur le visage, chaque mouche portait un nom : "la coquette", "la discrète"...

Changer souvent d'habits

Les courtisans changeaient plusieurs fois par jour de vêtement. Les cols des chemises et les dentelles des corsages devaient être toujours impeccables.

Saluer avec son chapeau

Le roi saluait avec son chapeau. S'il rencontrait les grands seigneurs du royaume, il touchait son chapeau de la main. Devant les dames de la cour, il l'enlevait. Il le touchait légèrement devant les femmes de chambre. Les courtisans imitaient les gestes du roi.

Une mantille en dentelle

Une écharpe en fourrure : une palatine

Des boucles d'oreilles

Un corselet

Un manchon de fourrure

Une jupe, "la modeste"

Une robe-manteau en brocart, une étoffe de soie

La reine Marie-Thérèse était la fille du roi d'Espagne. Elle s'habillait de robes somptueuses, en dentelles brodées d'or.

Une fête nautique à Versailles

Le 5 septembre 1684, Versailles est en fête !
C'est l'anniversaire du roi. Louis XIV offre
à ses invités une promenade en bateau
sur le Grand Canal. Ils embarquent
sur une frégate et une galère comme
s'ils naviguaient sur la mer !

Le bassin d'Apollon.
Il est décoré d'une statue
de bronze du dieu Apollon
et de quatre chevaux
qui jaillissent de l'eau.

Des cavaliers galopent
dans les allées du parc.

Des officiers de l'armée royale
discutent à bord d'une frégate.
Ce bateau en bois est une
reproduction à taille réduite
d'un vrai navire de guerre.

Un gentilhomme aide
une dame de la cour
à embarquer
sur une gondole.

Des musiciens jouent
du violon et du hautbois.
Ils interprètent
des airs à la mode.

Le roi entouré de dames
de la cour navigue
sur une gondole
offerte par des habitants
de Venise.

Le château : les fenêtres de la chambre du roi s'ouvrent à l'est, face au soleil levant, car le Soleil est le symbole de Louis XIV.

Le parc : il a été dessiné par le jardinier Le Nôtre.

Le carrosse de Louis XIV est tiré par huit chevaux blancs.

Des laquais portent leur maître dans une chaise à porteurs.

Des invités boivent des rafraîchissements sur une galère. Ce bateau à rames a été construit par des charpentiers dans un atelier proche du canal.

Le Grand Canal : c'est un bassin en forme de croix, long de plus de 1,5 kilomètre et large de 120 mètres.

DEVINETTE

Voici six moyens de transport. Deux d'entre eux n'existaient pas à l'époque de Louis XIV. Lesquels ?

Le carrosse

La diligence

La montgolfière

Le coche d'eau

La draisienne

La chaise à porteur

MOT CACHE

Voici sept personnes au service de Louis XIV. Inscris leur métier dans la grille, horizontalement. Tu découvriras verticalement le nom d'un comédien célèbre qui vivait sous le règne de Louis XIV.

QUIZZ *Lis bien tout le dossier sur Louis XIV avant de jouer.*

1 *La femme de Louis XIV s'appelait :*

- Marie-Thérèse
- Marie-Antoinette
- Marie de Médicis

2 *La galerie des glaces mesurait :*

- 7,60 mètres
- 76 mètres
- 760 mètres

3 *Les enfants du roi et de la reine vivaient :*

- avec leurs parents
- avec leur gouvernante
- avec leurs grands-parents

4 *Sur le visage, les courtisanes portaient :*

- une abeille
- une guêpe
- une mouche

5 *Le roi et ses courtisans s'habillaient avec :*

- une redingote
- une houppelande
- un justaucorps

6 *Louis XIV régna pendant :*

- 22 ans
- 52 ans
- 72 ans

7 *Louis XIV mourut d'une grave maladie :*

- la rougeole
- la coqueluche
- la gangrène

8 *A la chasse, Louis XIV tirait :*

- au fusil
- au pistolet
- à la carabine

*Réponses. **Devinette :** la draisienne et la montgolfière. **Mot caché :** Molière. **Les métiers sont :** 1. Médecin. 2. Rôtisseur. 3. Tailleur. 4. Panetier. 5. Barbier. 6. Perruquier. 7. Echanson. **Quizz :** 1. Marie-Thérèse. 2. 76 mètres. 3. avec leur gouvernante. 4. une mouche. 5. un justaucorps. 6. 72 ans. 7. la gangrène. 8. au fusil.*

Les événements qui ont marqué l'histoire

L'EXPLORATION DU PACIFIQUE

Au XVIIIe siècle, les Français et les Anglais organisent des voyages de découverte dans l'océan Pacifique. Les navigateurs sont accompagnés de savants, de géographes, de naturalistes et de médecins. Ils viennent établir des cartes, observer les coutumes des peuples rencontrés, étudier des plantes et des animaux inconnus.

L'INVENTION DE LA MACHINE A VAPEUR

En 1785, l'Ecossais James Watt met au point la première machine à vapeur. Cette machine, installée dans des ateliers, simplifie les gestes des ouvriers et permet d'accélérer la production. Bientôt, toutes les usines l'utilisent.
C'est le début de la «révolution industrielle».

EN FRANCE, AU FIL DU TEMPS

Des savants commencent à étudier et à classer les plantes et les animaux.

Des navires français font du trafic d'esclaves noirs vers les Antilles.

LE TEMPS DES ROIS

1715	1720	1723	1730
C'est la fin du règne de Louis XIV.	Une terrible épidémie de peste frappe Marseille.	Louis XV est roi de France.	Le commerce maritime lointain se développe.

... de Louis XIV à la Révolution française

UNE PETITE VILLE EN 1785

une montgolfière

un hôpital

une fabrique de tapis

une écluse

JEU Observe dans ce paysage les éléments apparus à cette époque. Compare ce paysage avec ceux des pages 77 et 109 et découvre sa transformation au fil des siècles.

En 1786, deux hommes parviennent au sommet du Mont-Blanc.

Louis XVI soutient la culture d'un nouveau légume, la pomme de terre.

1768	1774	1783
La Corse, île génoise, devient française.	Louis XVI est roi de France.	La première montgolfière s'élève dans le ciel.

1789 :
les paysans
à la veille
de la Révolution

- Une famille de paysans en Bourgogne
- Une réunion sur ordre de Louis XVI
- Les cahiers de doléances
- Le clergé, la noblesse et le tiers état
- Les Etats généraux à Versailles

Une famille de paysans en Bourgogne

Le matin, Etienne se lève au chant du coq.
Marie lui sert une soupe et une tranche de lard.

Pour aller dans son champ, Etienne traverse
le village. Sur la place de l'église, il salue le curé.

Il s'arrête chez Claude, un laboureur, et lui
emprunte un attelage de bœufs et une charrue.

27 millions de Français

En 1789, la France, gouvernée par le roi Louis XVI, comptait 27 millions d'habitants. 22 millions d'entre eux habitaient la campagne. La plupart cultivaient la terre. Ils travaillaient plus de 10 heures par jour.

Le village

Chaque village avait 60 à 90 maisons, souvent éloignées les unes des autres. La cloche de l'église sonnait les heures de travail et de repos. Elle annonçait aussi un incendie, un baptême ou un décès.

Les paysans

La plupart des paysans étaient pauvres. Ils cultivaient des terres trop petites et peu fertiles. Ils n'avaient souvent ni terre ni outils et travaillaient pour de riches propriétaires. Des paysans plus riches, les laboureurs, possédaient des champs, des outils et des animaux.

Les cultures

Les terres cultivées
étaient divisées en trois
parties : les *soles*.
Une année, la première
sole était semée
de froment, la seconde,
d'orge ou d'avoine.
La troisième sole était
laissée en repos,
en *jachère*, pour être
plus fertile. L'année
suivante, la terre
reposée était cultivée
et une autre,
mise en jachère...

Les animaux

Un pâtre gardait
les vaches, les cochons
et les oies des paysans
dans un pré du village.
Les paysans pauvres
conduisaient parfois
leurs animaux
dans la forêt pour qu'ils
mangent des feuilles
et des glands.

La maison
paysanne

L'unique pièce de
la maison était éclairée
par une bougie
et chauffée par
une cheminée. A côté,
il y avait une grange,
une basse-cour,
un potager et parfois
une étable.

Etienne retourne la terre avec sa charrue.
Demain, il sèmera du froment et du seigle.

Nicolas, son fils, garde le cochon qui mange
des glands sous les chênes, à la lisière du bois.

Toute la journée, Marie a bêché le jardin.
Elle nourrit les poules avant la tombée de la nuit.

Une réunion sur ordre de Louis XVI

Quelle animation inhabituelle ce soir devant le cabaret ! Les villageois sont presque tous là.

NOUS SOMMES RÉUNIS CE SOIR SUR ORDRE DU ROI LOUIS XVI...

Claude, le laboureur, se lève et prend la parole. Il a été élu député du village.

CETTE MISÈRE NE PEUT PLUS DURER !

Etienne est mécontent car les récoltes sont mauvaises et les impôts royaux trop élevés.

Des impôts trop élevés

Depuis une dizaine d'années, les guerres et les mauvaises récoltes coûtaient très cher à la France. Louis XVI voulait donc augmenter les impôts. Le peuple des villes et surtout des campagnes, déjà écrasé par les impôts, était très mécontent !

Les députés

En 1789, la société française était divisée en trois groupes : le clergé, la noblesse et le tiers état. Le roi voulait que chaque groupe élise des représentants : des députés. Ceux-ci devaient ensuite se retrouver à Versailles à une réunion très importante : les Etats généraux.

Les impôts royaux

Les paysans, qui faisaient partie du tiers état, payaient plusieurs impôts au roi : le vingtième, la capitation et la taille, l'impôt le plus cher. Ils payaient aussi un impôt au clergé : la dîme.

Les droits seigneuriaux

La terre appartenait surtout aux nobles. Ils avaient des droits, des *«privilèges»*, sur les paysans, depuis le Moyen Age. Les paysans cultivaient leurs terres, mais devaient leur donner une grande part de leur récolte.

Les cahiers de doléances

Au printemps 1789, les villageois se réunirent pour faire savoir au roi leur mécontentement. Comme beaucoup ne savaient ni lire ni écrire, le notaire ou le maître d'école écrivaient les plaintes sur des cahiers : les *cahiers de doléances*.

Les Etats généraux

60 000 cahiers de doléances ont été écrits en 1789 par les Français. Les députés du clergé, de la noblesse et du tiers état les ont ensuite résumés en 600 cahiers. Le 5 mai 1789, ils ont porté ces cahiers au roi, à la réunion des Etats généraux.

Louise, une veuve du village, gémit car les fontaines du village sont mal entretenues.

Sur un cahier, le maître d'école écrit les plaintes des habitants : les «doléances».

Claude et le député d'un village voisin vont déposer les cahiers de doléances à Dijon.

Les cahiers de doléances

CAHIER

CONTENANT

LES VŒUX

DES COMMUNES

DE

LA PROVINCE

D'ANJOU.

À ANGERS,

De l'Imprimerie de PAVIE, rue S. Laud.

1789

**Voici la couverture d'un cahier de doléances écrit
par des paysans de l'ouest de la France.**

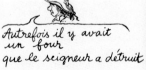

**Cette page de cahier de doléances a été rédigée
à la plume par un maître d'école.**

*Nous avons ouvert
pour vous quelques
cahiers de doléances
écrits partout
en France en 1789.
Ecoutez les paysans
se plaindre de leur vie
difficile.*

*Cet hiver, les blés
ont gelé de moitié*

Depuis 1786, les gelées
et les inondations
avaient détruit la moitié
des récoltes de blé.
Les paysans n'avaient
donc plus de quoi se
nourrir. Certains étaient
même sans logement,
sans travail et obligés
de mendier leur pain.

*Le vin se récolte en
très petite quantité*

Chaque village avait
souvent des vignes.
En 1789, après de
mauvaises vendanges,
les vignerons n'avaient
plus d'argent.

*Autrefois il y avait
un four
que le seigneur a détruit*

Les paysans n'avaient
ni four à pain ni pressoir
à raisin. Ils utilisaient
ceux des nobles
et ils payaient très cher
ce service. Si le four
était en mauvais état,
le paysan payait tout
de même le seigneur.

La clôture des champs ruine le cultivateur

Depuis 1780, les terres du village étaient peu à peu prises par les nobles pour agrandir leur domaine. Ceux-ci fermaient les champs avec des barrières. Les paysans ne pouvaient plus circuler à travers les terres.

Les chemins sont épouvantables

Beaucoup de villages étaient isolés et les chemins qui les reliaient étaient mal entretenus. Le commerce entre deux villages était donc difficile. Dans les régions montagneuses, les déplacements étaient souvent dangereux.

Le temps est arrivé, sire, d'une répartition de l'impôt.

En 1789, les paysans, déjà appauvris par des terres trop petites et de mauvaises récoltes, ne voulaient plus être seuls à payer la taille. Ils demandaient donc au roi que cet impôt soit payé par tous les Français.

Le paysan paie de lourds impôts aux nobles et aux prêtres, comme le montre cette gravure humoristique du XVIIIe siècle.

Le clergé, la noblesse et le tiers état

Une perruque

Une cape brodée d'or

Un jabot de dentelle

Un gilet boutonné avec de fausses poches

Un chapeau à plumes blanches à la Henri IV

Une épée

Des bas

Des chaussures à boucle

Ce député de la noblesse porte un riche costume choisi par Louis XVI pour les Etats généraux.

Le roi Louis XVI

C'était un monarque absolu : son autorité n'avait pas de limites et personne ne le contrôlait. Sa résidence principale était à Versailles.

Le clergé

Il ne comptait que 400 000 personnes. Les évêques et les abbés étaient riches et possédaient des terres. Les curés de la campagne vivaient pauvrement.

La noblesse

Les nobles étaient environ 600 000 et ne payaient pas d'impôts. Près de 4 000 nobles résidaient à la Cour de Versailles. Les autres vivaient dans des châteaux en province.

Le tiers état

Il comptait plus de 26 millions de personnes, c'est-à-dire 96 % de la population française. Le tiers état était formé du peuple des campagnes du peuple des villes et de la bourgeoisie.

● Le peuple des campagnes

Beaucoup vivaient directement du travail de la terre. D'autres étaient forgerons, tonneliers...

● Le peuple des villes

C'étaient les valets, les cuisiniers, les porteurs d'eau, les cochers, les petits artisans. Ils furent les premiers à se révolter en 1789.

● Les bourgeois

Parmi eux, il y avait des petits boutiquiers, des artisans propriétaires, mais aussi des officiers, des avocats, des médecins... ils ont joué un grand rôle dans la Révolution française.

Un chapeau

Une cravate avec un grand nœud

Une redingote sombre

Des bas noirs

Des chaussures noires à boucle

Ce député du tiers état a un costume sévère choisi par le roi pour les Etats généraux.

Les Etats généraux à Versailles

Le 5 mai 1789, les députés de la noblesse, du clergé et du tiers état se réunissent à Versailles avec Louis XVI.
Ce sont les Etats généraux.
Les députés du tiers état espèrent que cette rencontre avec le roi va améliorer leur vie.

Des spectateurs se sont installés sous la galerie.

Les 291 députés du clergé sont assis à droite du roi.

Les 578 députés du tiers état siègent face au roi.

Cette salle de l'hôtel des Menus-Plaisirs a été aménagée spécialement pour la réunion des Etats généraux. Elle servait d'habitude à ranger des décors de théâtre.

Le roi, assis sur un trône, préside les états généraux. A ses côtés, sa femme, la reine Marie-Antoinette.

Un dais
Un immense tissu semé de lys, les fleurs royales.

Les membres de la famille royale et les frères du roi.

Les 271 députés de la noblesse siègent à gauche du roi.

MELI-MELO

En 1793, les révolutionnaires ont changé le nom des 12 mois de l'année*. Observe bien ces scènes de la vie paysanne et inscris sous chaque mois son nom actuel.

*Chaque mois commençait le 20ème jour du mois.

Ventôse

Vendémiaire

Fructidor

Floréal

Pluviôse

Prairial

Frimaire

Germinal

Thermidor

Nivôse

Brumaire

Messidor

QUIZZ

Lis bien tout le dossier sur la Révolution française avant de jouer.

1 En 1789, le tiers état représentait en France :

- 10% de la population
- 50% de la population
- 90% de la population

2 Les cahiers écrits par les paysans s'appelaient :

- les cahiers des communes
- les cahiers de doléances
- les cahiers de condoléances

3 La réunion des Etats Généraux s'est déroulée à :

- Versailles
- Paris
- Fontainebleau

4 En 1789, la population de la France était de :

- 10 millions d'habitants
- 27 millions d'habitants
- 60 millions d'habitants

SILENCE

5 La femme de Louis XVI s'appelait :

- Marie-Thérèse
- Marie-Antoinette
- Marie de Médicis

6 En 1789, les laboureurs étaient :

- des paysans sans terre
- des paysans pauvres
- des paysans riches

7 Au petit-déjeuner, les paysans mangeaient :

- des biscottes et du thé
- des croissants et du lait
- de la soupe avec du lard

8 La terre laissée en repos s'appelle :

- la jachère
- la mégère
- la ménagère

Réponses - MELI-MELO - Nivôse : janvier. Pluviôse : février. Ventôse : mars. Germinal : avril. Floréal : mai. Prairial : juin. Messidor : juillet. Thermidor : août. Fructidor : septembre. Vendémiaire : octobre. Brumaire : novembre. Frimaire : décembre. QUIZZ - 1. 90% de la population. 2. Les cahiers de doléances. 3. Versailles. 4. 27 millions d'habitants. 5. Marie-Antoinette. 6. Des paysans riches. 7. De la soupe avec du lard. 8. La jachère.

Les événements qui ont marqué l'histoire

LA REVOLTE DES ESCLAVES NOIRS

Vers 1791, aux Antilles, beaucoup d'esclaves noirs travaillent dans des plantations de coton et de café. Leur vie est très dure et ils se révoltent contre leurs maîtres blancs. Après de terribles massacres, les Français suppriment l'esclavage aux Antilles. Mais celui-ci continue dans le monde jusqu'au XIXe siècle.

L'INVENTION DU METIER A TISSER

En 1801, le Français Jacquard met au point un métier à tisser très performant. Cette machine fonctionne avec des cartons perforés et permet de reproduire à l'infini des dessins compliqués. Ce métier à tisser automatique remplace le travail de plusieurs ouvriers.

EN FRANCE, AU FIL DU TEMPS

Le 14 juillet 1789 à Paris, les révolutionnaires prennent la Bastille.

Le 21 janvier 1793, le roi Louis XVI est guillotiné à Paris.

LE XVIIIe siècle

1789

C'est la prise de la Bastille et la déclaration des Droits de l'homme.

1792

La République est proclamée.

1799

Napoléon Bonaparte s'empare du pouvoir.

108

... de la Révolution française à Napoléon 1ᵉʳ

UNE PETITE VILLE EN 1800

un télégraphe

une lampe à gaz

une boutique

une diligence

JEU Observe dans ce paysage les éléments apparus à cette époque. Compare ce paysage avec ceux des pages 93 et 125 et découvre sa transformation au fil des siècles.

En 1798, une expédition menée par Bonaparte découvre les pyramides d'Egypte.

En 1805, les vaisseaux anglais et français s'affrontent sur la mer.

LE XIXᵉ siècle

1804	1805	1809	1812
Napoléon 1ᵉʳ est empereur des Français.	C'est la défaite des Français contre les Anglais à Trafalgar.	C'est la victoire de la France contre l'Autriche à Wagram.	La Grande Armée part à la conquête de la Russie.

Voici le trajet des soldats de Napoléon de Paris à Moscou en 1812

En 1804, Napoléon devint empereur des Français. Il rêvait de dominer toute l'Europe. Après avoir mené des guerres contre l'Autriche, la Prusse, l'Espagne... il décida en 1812 de conquérir la Russie. Suivez l'aventure des soldats de Napoléon, entraînés dans cette expédition lointaine et terrible.

Martin, soldat de Napoléon en Russie

- Le dur métier de soldat
- La bataille de Borodino
- Tout sur la campagne de Russie
- L'organisation de l'expédition
- La Grande Armée de Napoléon

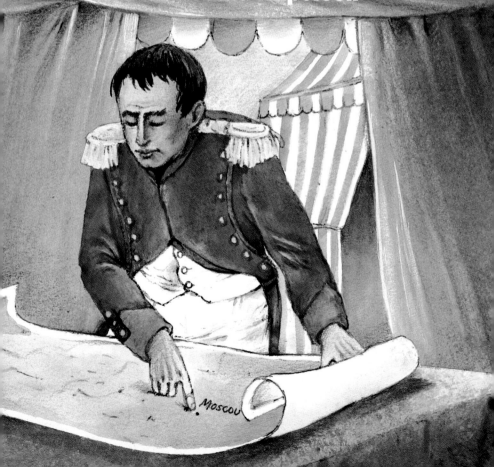

Le dur métier de soldat

Martin est un jeune soldat de l'armée de Napoléon.
En 1812, il participe à une grande expédition militaire, la campagne de Russie.
Voici son récit.

4 septembre 1812, à 2 000 km de la France

> Martin, debout! Il faut rejoindre la Grande Armée.

En Russie, des soldats se sont égarés dans la campagne. Ils appartiennent à l'armée de Napoléon.

> Des cartoufles, encore des cartoufles...*

> C'est mieux que de crever de faim.

*Pommes de terre dans le langage militaire.

Martin cuit des pommes de terre dans une marmite. Il les a volées à des paysans russes.

> бежим, французы идут!*

* Fuyons, des Français!

Les soldats marchent sur la route poussiéreuse. Ils croisent des paysans fuyant devant l'ennemi.

Napoléon a décidé de conquérir la Russie, un pays 31 fois plus grand que la France et gouverné par le tsar Alexandre 1er. Napoléon a donc rassemblé 600 000 soldats venus de 20 nations différentes. A nous tous, nous formons la Grande Armée.

Voilà déjà plus de 4 mois que nous avons quitté la France. Nous marchons au rythme de 40 kilomètres à pied par jour, en portant un fusil de 4 kilos et un sac à dos de 10 kilos!

C'est la première fois que nous partons combattre aussi loin. Notre expédition militaire a été préparée pendant un an. Il a fallu réunir les soldats, construire des chariots pour transporter les provisions et le fourrage des chevaux.

L a Russie est un pays rude. Des milliers de soldats n'arrivent plus à suivre leur bataillon. Beaucoup de mes camarades, épuisés, se sont arrêtés en route. Moi, ce sont mes chaussures qui me blessent affreusement.

Malheureusement, hier, mes camarades et moi, nous nous sommes égarés. Nous n'avons plus de provisions, mais surtout, nous craignons l'attaque des Cosaques. Ce sont des cavaliers russes venus de Sibérie.

Nous retrouvons enfin notre bataillon qui a installé son campement près de Borodino. Les Russes ont pris position autour de ce petit village. L'Empereur compte sur nous pour porter un coup fatal à l'ennemi. Le combat est sûrement pour demain!»

Soudain, des Cosaques surgissent de la forêt.
Ils s'emparent des chevaux et tuent deux soldats.

Martin est blessé à l'épaule. Par chance,
voici un aide de camp de l'Empereur.

L'armée campe près d'une rivière.
Napoléon à cheval inspecte les troupes.

La bataille de Borodino

7 septembre 1812, à Borodino

> Triple ration pour mes soldats avant l'attaque des Russes.

**A l'aube, Napoléon appelle son aide de camp.
Il lui ordonne de distribuer du riz et des biscuits.**

> Soldats, la victoire dépend de vous !

**Avant la bataille, les capitaines réunissent
leurs soldats pour lire un message de l'Empereur.**

> Petit ! Nettoie le canon avant de mettre le boulet !

**Des soldats installent les canons sur une colline.
Tout est prêt pour la canonnade.**

Depuis notre arrivée en Russie, nous sommes très mal nourris : chacun reçoit 5 kilos de farine, du pain et des biscuits, tous les 5 jours seulement. Ce matin, nous avons pourtant reçu une ration supplémentaire. Cela veut dire que la bataille est proche. En effet, comment se battre le ventre vide ?

Napoléon veut encercler les Russes qui ont pris position dans la plaine de Borodino. Les Russes sont postés dans des petites fortifications en pierre, des «redoutes». Elles sont équipées de canons.

Les canonniers de la Grande Armée installent les canons sur une colline. Ces canons très lourds tirent deux boulets en fer par minute. Très souvent, les boulets roulent sur le sol et cassent les pattes des chevaux.

MINI-RECIT

Nous nous battons tantôt au fusil, tantôt à la baïonnette. Quand nous sommes loin de l'ennemi, nous tirons des coups de feu. Puis nous fixons la baïonnette au bout du fusil. C'est une lame coupante de 56 cm de long. Nous fonçons sur l'ennemi avec cette arme terrible. Le combat au corps à corps est épouvantable.

Les Russes reculent enfin. Il paraît qu'il y a plus de 10 000 morts dans l'armée française. Pourtant nous repartons déjà. En effet, l'Empereur ne nous laisse aucun repos. Il veut marcher vers Moscou, la capitale de la Russie. »

Après avoir occupé Moscou, Napoléon décida de quitter la Russie. Ses troupes, épuisées, étaient mal équipées pour supporter l'hiver très rude en Russie. Sur le chemin du retour, beaucoup de soldats moururent de faim, de fatigue et de froid. D'autres se noyèrent dans une rivière, la Berezina.

3 heures plus tard...

Mes soldats se battent avec courage !

La bataille fait rage. Inquiet, Napoléon observe ses troupes à la lorgnette.

Armés de baïonnettes, les combattants s'affrontent dans un violent corps à corps.

Le soir

Allons prendre la ville de Moscou !

Les morts et les blessés jonchent le champ de bataille. Mais déjà, l'Empereur part vers Moscou.

Tout sur la campagne de Russie

Après la bataille de Borodino, Napoléon entre dans Moscou. Mais la ville est en flammes.

En novembre 1812, la Grande Armée franchit la Berezina. Mais beaucoup de soldats se noient.

Voici les chiffres terribles de l'expédition de Napoléon en Russie.

600 000

C'est le nombre de soldats qui combattaient sous les ordres de Napoléon. Parmi eux, il y avait 300 000 Français. Les autres étaient des Prussiens, des Autrichiens, des Espagnols...

400 000

C'est le nombre de soldats de la Grande Armée morts ou disparus pendant la campagne de Russie.

280 000

C'est le nombre de soldats russes. Ils étaient divisés en deux armées.

15 000

C'est le nombre de chevaux de la Grande Armée. Dès le début de l'expédition, 5 000 chevaux moururent car le climat était trop rude.

300

C'est le nombre de jours qu'il fallut aux soldats de la Grande Armée pour faire Paris-Moscou aller-retour. Pendant ces 10 mois, les soldats marchèrent 5 mois. Ils s'arrêtèrent 5 mois pour combattre ou se reposer.

40

C'est le nombre de kilomètres parcourus dans la journée par un soldat. Le soldat se reposait 5 minutes toutes les heures. A la pause, il pouvait fumer une pipe, une «bouffarde».

-30 °C

C'est la température la plus basse supportée par les soldats en Russie. Les Russes ne craignaient pas le froid, car ils portaient des fourrures épaisses. Les soldats de Napoléon, mal équipés, avaient les pieds et les mains gelés.

En décembre 1812, des soldats se battent encore. Mais la campagne de Russie est un désastre.

Voici Napoléon entouré de ses maréchaux, pendant une expédition militaire.

L'organisation de l'expédition

Un bonnet
de fourrure
en astrakan

Une
cravache
en cuir

Un sabre

Un pantalon
bleu foncé
très large

Une cape
en fourrure
jetée sur
les épaules

Des bottes
de cavalier
sans éperons

Une
carabine

**Les Cosaques étaient originaires de Sibérie.
Ils étaient les éclaireurs de l'armée russe.
Ils portaient des vêtements très chauds.**

*Des hommes et des
femmes organisaient
la vie quotidienne
des soldats.*

Des intendants

Ils organisaient
les déplacements des
bataillons. Ils partaient
à cheval choisir
un campement.

Des commissaires de guerre

Ils préparaient le convoi
des chariots
de provisions.
Ils contrôlaient
les tonneaux d'eau-
de-vie, un alcool fort
qui donnait du courage
aux soldats.

Des vivandières

Elles vendaient
du sucre et du tabac
aux soldats. A pied,
à cheval ou en chariot,
elles s'installaient sur
le passage des troupes.

Des chirurgiens

Ils opéraient les blessés.
Parfois, ils devaient
couper la jambe
d'un soldat déchirée
par un boulet de canon.

DU MATÉRIEL

*Des centaines
de chariots suivaient
la colonne des soldats.*

Des magasins ambulants

Ils transportaient des
vêtements de rechange
pour les soldats :
des chaussures,
des chemises de drap
et des capes.

Des voitures d'artillerie

Elles transportaient
les boulets et les pièces
de rechange pour
les canons, mais aussi
des enclumes et
du matériel pour réparer
les pièces en fer.

Des charrettes de paille

Elles contenaient
la paille pour nourrir
les chevaux. Parfois,
la paille servait de
couchage aux soldats.

Des ambulances

Elles étaient tirées
par quatre chevaux
et ramassaient
les blessés sur
le champ de bataille.

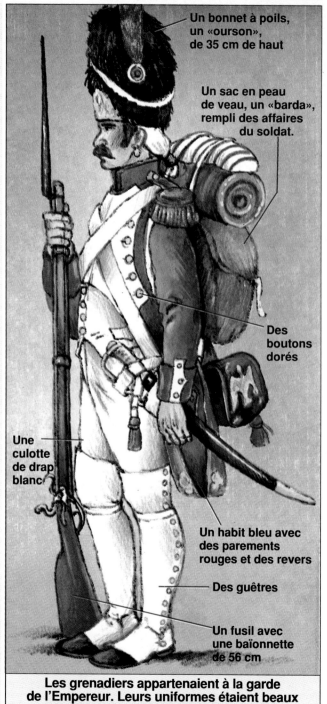

Un bonnet à poils,
un «ourson»,
de 35 cm de haut

Un sac en peau
de veau, un «barda»,
rempli des affaires
du soldat.

Des
boutons
dorés

Une
culotte
de drap
blanc

Un habit bleu avec
des parements
rouges et des revers

Des guêtres

Un fusil avec
une baïonnette
de 56 cm

**Les grenadiers appartenaient à la garde
de l'Empereur. Leurs uniformes étaient beaux
mais pas assez chauds pour l'hiver russe.**

119

La Grande Armée de Napoléon

Voici la colonne de la Grande Armée qui partit avec Napoléon en Russie en 1812. Cette expédition militaire dura 10 mois. Les soldats marchèrent environ 6000 kilomètres aller-retour, entre juin 1812 et mars 1813.

Des chariots transportaient des provisions et le fourrage des chevaux. Le bétail suivait le convoi.

La cavalerie était composée de plusieurs groupes. Parmi eux, il y avait les carabiniers et les cuirassiers.

Les artilleurs s'occupaient des canons tirés par des chevaux.

Les porte-drapeau tenaient le drapeau impérial surmonté d'un aigle aux ailes déployées.

La Garde impériale protégeait personnellement l'Empereur. Les gardes les plus anciens étaient les grenadiers

Des médecins,
à pied ou à cheval
suivaient les soldats.

Parmi les alliés de la France,
il y avait des soldats danois,
espagnols, suisses, prussiens.

Les fantassins suivaient à pied. Ils risquaient
leur vie plus que d'autres soldats car pendant
les combats, ils étaient en première ligne.

Des joueurs de tambour jouaient
de la musique militaire sous
les ordres d'un chef de musique.

Les maréchaux et les généraux
étaient les officiers les plus importants.
Ils aidaient l'Empereur.

Napoléon, à cheval,
avançait en tête
de la Grande Armée.

MOTS MELES

Voici Napoléon 1ᵉʳ en train de passer en revue la garde impériale. Une lettre est inscrite sur le bonnet de chaque soldat. En les remettant dans l'ordre, tu sauras quel surnom portait l'Empereur.

REBUS

En déchiffrant ce rébus, tu découvriras le nom de l'île où est né Napoléon 1ᵉʳ.

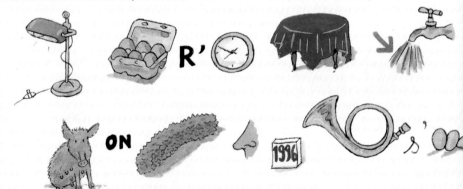

QUIZZ

Lis bien tout le dossier sur Napoléon avant de jouer.

1 Les soldats à pied de Napoléon s'appelaient :

- les marcassins
- les fantassins
- les mandarins

2 Napoléon est sacré empereur des Français en :

- 1795
- 1804
- 1812

3 Parmi les soldats de Napoléon, il y avait :

- des Turcs
- des Canadiens
- des Espagnols

4 Les soldats qui suivent Napoléon en Russie étaient :

- 6 000
- 60 000
- 600 000

5 Le sac à dos du fantassin pèsait :

- 2 kilos
- 5 kilos
- 10 kilos

6 Les cavaliers russes venus de Sibérie s'appelaient :

- les Canaques
- les Casaques
- les Cosaques

7 Les intendants étaient chargés de :

- organiser le déplacement des soldats
- préparer les chariots de provisions
- nourrir les chevaux

8 Napoléon trouva la ville de Moscou détruite par :

- un incendie
- un tremblement de terre
- une inondation

Réponses - MOTS MÊLÉS - Le petit caporal. REBUS - l'empereur Napoléon est né en Corse (lampe-eufs - R -heures-nappe-eau-laie-nez-an-cor-s'œufs). QUIZZ - 1. Les fantassins. 2. 1804. 3. Des Espagnols. 4. 600 000. 5. 10 kilos. 6. Les Cosaques. 7. Organiser le déplacement des soldats. 8. Un incendie.

Les événements qui ont marqué l'histoire

 ## LE PARTAGE DE L'AFRIQUE

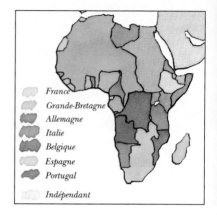

France
Grande-Bretagne
Allemagne
Italie
Belgique
Espagne
Portugal
Indépendant

Vers 1870, des pays comme l'Allemagne, la Belgique, la France et l'Angleterre décident de se partager le continent africain. Ils veulent ainsi montrer leur puissance et s'enrichir. Les pays d'Afrique deviennent des colonies. Leurs habitants sont souvent obligés d'abandonner leurs traditions et d'adopter celles des Européens.

 ## L'INVENTION DE L'AMPOULE ELECTRIQUE

En 1878, l'Américain Thomas Edison invente la première ampoule électrique. Elle reste allumée pendant 13 heures ! A l'intérieur, un fil de carbone chauffe et éclaire, grâce à l'action de l'électricité. Vendue à des millions d'exemplaires, l'ampoule remplace vite l'éclairage au gaz.

 ## EN FRANCE, AU FIL DU TEMPS

Grâce à la vapeur et au charbon, des trains transportent marchandises et voyageurs.

Dès 13 ans, des enfants travaillent dans des usines et au fond des mines.

LE XIX\ siècle

1814	1830	1851
Napoléon 1er abdique. Louis XVIII devient roi.	C'est le début de la colonisation en Algérie.	Napoléon III prend le pouvoir.

... de Napoléon 1ᵉʳ à la Grande Guerre

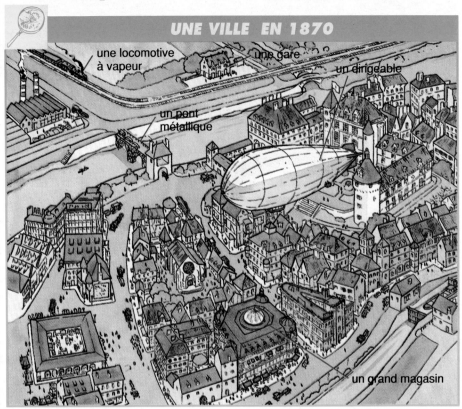

une locomotive à vapeur

une gare

un dirigeable

un pont métallique

un grand magasin

JEU Observe dans ce paysage les éléments apparus à cette époque. Compare ce paysage avec ceux des pages 109 et 141 et découvre sa transformation au fil des siècles.

En 1885, un savant, Pasteur, met au point un vaccin contre la rage.

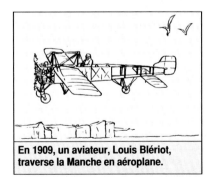

En 1909, un aviateur, Louis Blériot, traverse la Manche en aéroplane.

LE XXᵉ siècle

1870	1881	1913	1914
La France est en guerre contre la Prusse.	L'école devient laïque, gratuite et obligatoire.	Poincaré est président de la République.	L'Allemagne déclare la guerre à la France.

125

1914 : dans l'enfer de la Grande Guerre

- Une famille séparée par la guerre
- Un combat dans les tranchées
- La guerre au jour le jour
- Des millions de morts
- Un poste de secours dans les tranchées

Voici le nord de la France où ont eu lieu beaucoup de combats entre 1914 et 1918.

Il y a 80 ans, la France était plongée dans une guerre terrible qu'on a appelé la Grande Guerre. Aux côtés de Félix, un soldat des tranchées, découvre cette guerre qui a bouleversé la vie de tes arrière-grands-parents.

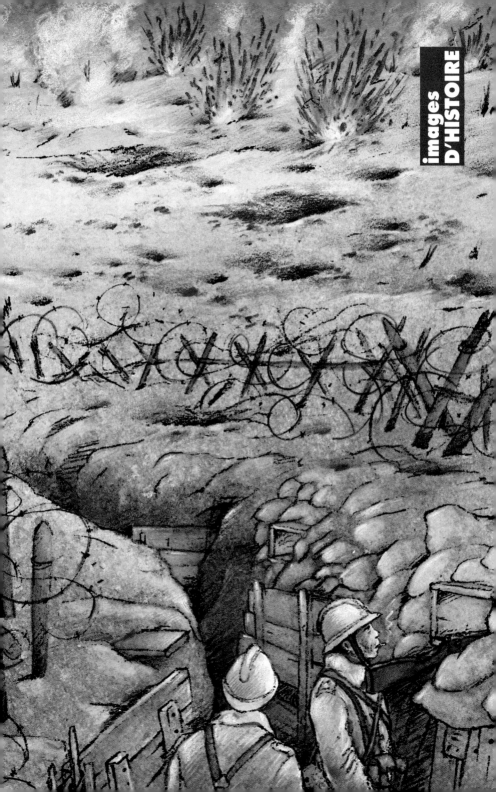

Une famille séparée par la guerre

1er août 1914

Près d'Amiens, Félix, Louise et leur fille coupent les blés. Soudain, les cloches sonnent à la volée.

Félix a rejoint son bataillon. Tous marchent vers le Nord pour bloquer l'avancée des Allemands.

Pendant ce temps

Deux gendarmes viennent réquisitionner le seul cheval de la ferme. Jeanne pleure.

La déclaration de guerre

En août 1914, la guerre éclate en Europe. Elle devient vite mondiale à cause des accords entre les pays. D'un côté, il y a la France, la Russie et l'Angleterre. De l'autre côté, l'Allemagne et l'Autriche-Hongrie.

La mobilisation

Tous les hommes âgés de 20 à 48 ans doivent quitter immédiatement leur travail et rejoindre l'armée. Ils sont mobilisés. Ils partent en train ou à pied vers les lieux des combats, le nord et l'est de la France.

Les réquisitions

Les chevaux sont confisqués pour servir à l'armée. De même, des milliers de porcs et de veaux, des tonnes de pommes de terre et de blé sont pris pour nourrir les soldats.

L'exode

Des milliers de familles fuient la Belgique et le nord de la France qui sont envahis par les troupes allemandes. Ils emportent leur linge et leurs meubles dans des charrettes. Ils vont se réfugier un peu partout en France.

La ligne de front

A la fin de 1914, après les premiers combats meurtriers, l'armée allemande recule un peu. Elle s'installe sur une sorte de ligne de 550 km de long, qui va de la Suisse à la mer du Nord. C'est le front.

Les tranchées

Du côté allemand comme du côté français, les soldats creusent de profonds fossés pour se protéger des tirs ennemis. Ce sont les tranchées. Les soldats vivent là, attendant l'ordre de monter à l'assaut.

Septembre 1914

Les pauvres gens...

Jeanne et sa mère regardent passer la longue file de gens qui fuient leurs villages envahis.

Octobre 1914

Voici la position de nos armées.

La rentrée des classes est faite. Un homme âgé remplace l'instituteur parti combattre.

25 décembre 1914

Félix écrit que la vie est dure dans les tranchées.

Et la guerre s'installe...

Noël est triste cette année ! Louise et ses voisins échangent des nouvelles des soldats.

Un combat dans les tranchées

30 juin 1916, sur le front

Ça fait six jours que les canons tirent au-dessus.

C'est signe que l'attaque est proche.

**La guerre dure depuis presque deux ans.
Les soldats vivent dans des tranchées.**

Le lendemain

En avant!

Adieu, Louise, Jeanne et mon petit Paul!

**A l'aube, l'officier reçoit l'ordre d'attaquer. Félix
et ses camarades s'élancent hors de la tranchée.**

BAOUM!

BAOUM!

**Sous une pluie d'obus, les soldats franchissent
des amas de barbelés détruits par les canons.**

Félix est soldat depuis presque deux ans. En juin 1916, son bataillon est envoyé sur le front, dans la Somme. Ecoutez-le.

Nous sommes dans les tranchées de première ligne, face à l'armée allemande.
Le vacarme des canons nous rend sourds.
La nuit n'est qu'éclairs et grondements.
Notre abri tremble.
Nous nous y terrons comme si c'était déjà notre tombe!

Au petit matin, c'est l'attaque.
Je pense à Louise et à mes enfants.
Depuis le début de la guerre, je n'ai eu que de rares permissions pour rentrer à la maison.
Mon petit Paul ne m'a même pas reconnu.

Nous voilà à découvert sur le champ de bataille.
Nous nous abritons derrière des barbelés.
Au-dessus de nos têtes, c'est une terrible pluie de feu!

MINI-RECIT

En face, brillent les casques des soldats allemands. Nous lançons des grenades. Elles explosent et des corps tombent déchiquetés. C'est l'enfer! Nous sommes devenus des "hommes-bêtes", traqués par la mort. Et pour ne pas mourir, nous devons tuer...

Soudain, une balle me blesse à la jambe. Plié en deux sous la douleur, je rampe vers un trou creusé par un obus. Le sang poisse mon pantalon. Je me colle à la terre. Autour de moi, les mitrailleuses crépitent et les fusils grésillent.

A la nuit, les armes se taisent. On n'entend plus que les gémissements des blessés. J'arrive à regagner la tranchée criblée de trous d'obus. A l'intérieur, plusieurs soldats morts. Et moi, je suis vivant. La guerre est vraiment une invention monstrueuse des hommes!...

(Récit inspiré de "A l'Ouest, rien de nouveau" Erich Maria Remarque).

Félix lance des grenades vers les soldats allemands. Ils ripostent en mitraillant.

Une balle blesse Félix qui s'aplatit dans un trou d'obus. Deux soldats sont tués près de lui.

A la nuit, Félix, soutenu par un camarade, arrive à rejoindre la tranchée dévastée.

La guerre au jour le jour

Un sifflet
au coup de sifflet
de l'officier, les soldats
partent à l'assaut

Une montre
réglée à la minute près,
elle permet à l'officier
de donner le signal
du combat.

Une plaque d'identité
elle permet d'identifier
le soldat s'il meurt
et de prévenir sa famille.

**Voici trois objets indispensables
aux soldats dans les tranchées de première ligne.**

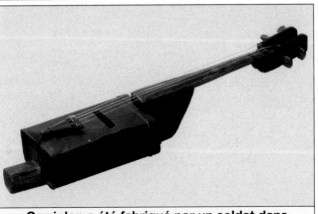

**Ce violon a été fabriqué par un soldat dans
une tranchée, avec une boîte de masque à gaz.**

*En France, 8 millions
d'hommes sont
mobilisés pendant
la Grande Guerre.
Beaucoup combattent
dans les tranchées.
On les appelle
les "poilus".*

En première ligne

Nuit et jour, les soldats
montent la garde
dans les tranchées
de première ligne,
prêts à attaquer.
Ils s'entraident, car ils
savent qu'ils risquent
leur vie. L'hiver, ils
pataugent dans la boue,
l'été, l'eau manque.
Ils doivent lutter contre
les poux et les rats.
Tous les huit jours,
ils sont remplacés
par d'autres soldats.

Dans les tranchées de soutien

Dans ces tranchées
situées en arrière,
les soldats sont moins
menacés. Ils jouent
aux cartes, entretiennent
leur équipement,
écrivent à leur famille.
Une "cuisine roulante"
prépare les repas.
Une fois tous les quatre
mois, ils partent
quelques jours chez
eux en permission.

LES FEMMES

A cause de la guerre, la place des femmes change dans la société. En effet, en France comme dans les autres pays en guerre, elles doivent remplacer leurs maris mobilisés.

A la ferme

Les femmes labourent, moissonnent, coupent le bois. Parfois, elles s'attellent à la charrue à la place du cheval réquisitionné.
Les enfants les aident à traire les vaches avant et après l'école.

A l'usine

Des usines fabriquent des obus, des casques, des fusils pour poursuivre la guerre. Beaucoup de femmes y travaillent, parfois dix heures par jour. On les appelle les "munitionnettes". Elles sont courageuses mais épuisées.

En ville

Les femmes exercent des métiers jusque-là réservés aux hommes. Certaines conduisent les tramways. D'autres sont employées dans les banques ou à la poste.

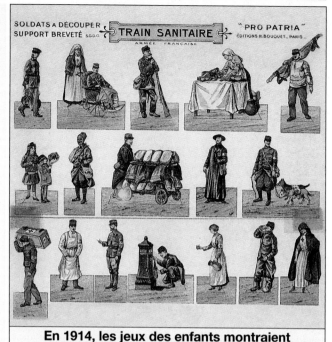

En 1914, les jeux des enfants montraient la guerre, comme ces petits soldats à découper.

Les images de la guerre étaient présentes dans les livres scolaires, comme cet alphabet.

Des millions de morts

Un képi

Une capote de drap

Un fusil avec une baïonnette

Un clairon

Un pantalon rouge "garance"

Un havresac, un sac à dos contenant l'équipement du soldat

Une gourde contenant 2 litres d'eau

En septembre 1914, les soldats français portaient un uniforme aux couleurs vives. Leurs ennemis les repéraient facilement de loin.

Le 11 novembre 1918, l'Allemagne est vaincue. Elle conclut un accord de paix, un armistice, avec la France. Mais le bilan de la guerre est terrible.

8 650 000

C'est environ le nombre de soldats tués pendant la Grande Guerre. Ils venaient des six pays en guerre, mais aussi des colonies françaises et anglaises : l'Algérie, la Tunisie, le Sénégal, l'Inde... Il y avait aussi des Australiens, des Canadiens, et des Américains entrés dans la guerre en 1917.

60 000

C'est le nombre de soldats tués ou blessés le premier jour de la bataille de la Somme. Ce fut le jour le plus sanglant de la guerre. La bataille de la Somme dura de juillet à décembre 1916.

760 000

C'est le nombre d'enfants français qui perdirent leur père à cause des combats.

INFOS-CHIFFRES

1 699

C'est le nombre de communes détruites par la guerre. Certains villages ne furent pas reconstruits. Ils étaient situés dans la région de Verdun et de la Somme où eurent lieu les combats les plus terribles.

36 550

C'est le nombre de communes en France. Chaque commune a un monument aux morts. Dessus, on peut lire les noms des habitants tués pendant la Grande Guerre. Une seule commune n'a pas de monument aux morts. En effet, tous ses soldats sont revenus vivants.

1

C'est "le Soldat Inconnu". Il est enterré sous l'Arc de Triomphe à Paris. Il représente tous les soldats morts pendant la guerre de 14-18, dont les corps n'ont pas été retrouvés. Ils n'ont donc pas pu être enterrés dans un cimetière.

Un casque en tôle d'acier doublé de cuir, appelé "Adrian"

Un barda de plus de 20 kg

Un fusil Lebel, avec une cadence de tir de 21 coups par minute

Un pantalon bleu horizon

Une veste en drap

Des bandes molletières

Un masque à gaz : fixé sur le visage, il protège des gaz asphyxiants.

Des godillots cloutés

En mai 1915, l'armée donna aux soldats un nouvel uniforme, plus discret et qui les protégeait mieux pendant les combats.

Un poste de secours dans les tranchées

Des centres de soins d'urgence sont installés dans les tranchées, à l'arrière des combats. Ce sont des abris souterrains, enterrés et blindés pour résister aux tirs d'obus. Ces postes de secours peuvent accueillir une soixantaine de soldats blessés.

Aidé par un infirmier, un médecin examine un blessé et immobilise sa jambe fracturée.

Des paquets de pansements. Au combat, chaque soldat porte sur lui ces compresses qu'il peut utiliser lui-même s'il est blessé.

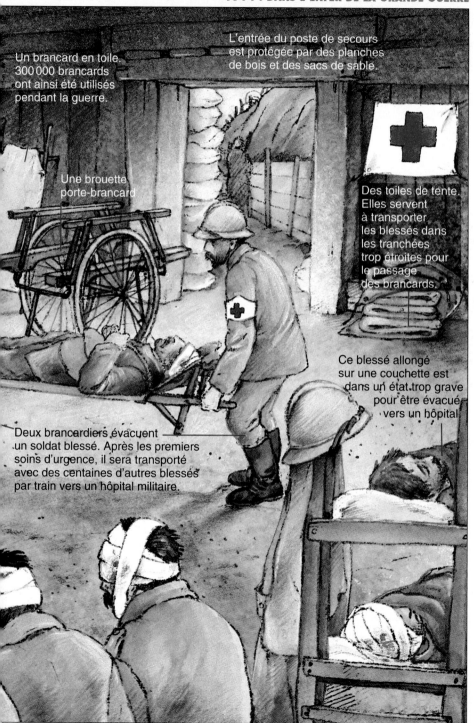

L'entrée du poste de secours est protégée par des planches de bois et des sacs de sable.

Un brancard en toile. 300 000 brancards ont ainsi été utilisés pendant la guerre.

Une brouette porte-brancard

Des toiles de tente. Elles servent à transporter les blessés dans les tranchées trop étroites pour le passage des brancards.

Ce blessé allongé sur une couchette est dans un état trop grave pour être évacué vers un hôpital.

Deux brancardiers évacuent un soldat blessé. Après les premiers soins d'urgence, il sera transporté avec des centaines d'autres blessés par train vers un hôpital militaire.

137

Observe bien ces deux cartes et repère les changements qui ont eu lieu dans toute l'Europe à cause de la Grande Guerre. Certains pays ont changé de nom et beaucoup de frontières ont été modifiées.

138

QUIZZ *Lis bien tout le dossier sur la Grande Guerre avant de répondre aux questions.*

1 *Entre 1914 et 1918, les combats eurent lieu :*

- [ ] dans toute la France
- [ ] dans le nord et l'est
- [ ] dans le sud et l'ouest

2 *Les combattants des tranchées s'appelaient :*

- [ ] les poilus
- [ ] les barbus
- [ ] les chevelus

3 *L'ordre donné aux hommes de partir à la guerre s'appelle :*

- [ ] la séquestration
- [ ] la mobilisation
- [ ] la réquisition

4 *Parmi les soldats de la Grande Guerre, il y avait :*

- [ ] des Japonais
- [ ] des Espagnols
- [ ] des Algériens

5 *Au début de la guerre, les soldats portaient un pantalon :*

- [ ] rouge vif
- [ ] bleu horizon
- [ ] marron foncé

6 *Le nombre de soldats morts pendant la guerre s'élève à :*

- [ ] plus de 4 millions
- [ ] plus de 6 millions
- [ ] plus de 8 millions

L'HISTORIAL DE LA GRANDE GUERRE

7 *Le soldat inconnu est enterré à Paris sous :*

- [ ] l'Arc de Triomphe
- [ ] l'arche de la Défense
- [ ] la tour Eiffel

En découvrant les affiches, les objets et les vidéos de ce musée passionnant, tu comprendras comment les Français, les Anglais et les Allemands ont vécu la Grande Guerre. Tu peux venir avec ta classe.

Adresse : Château de Péronne
1, place André-Audinot
80 200 Péronne.
Tél. : 22. 83.14.18.

Réponses, quizz : 1. dans le nord et l'est. 2. les poilus. 3. la mobilisation. 4. des Algériens. 5. rouge vif. 6. plus de 8 millions. 7. l'Arc de Triomphe.

Les événements qui ont marqué l'histoire

L'EUROPE BOULEVERSEE

Après la Première Guerre mondiale, beaucoup de pays sont en crise. L'Italie, l'Allemagne et l'Espagne mettent en place des gouvernements autoritaires. En Allemagne, Hitler, à la tête du parti nazi, veut dominer l'Europe. Il est aussi décidé à se débarrasser de deux peuples : les Juifs et les Tziganes. Pendant la Deuxième Guerre mondiale, 6 millions de Juifs sont massacrés.

L'INVENTION DE LA RADIO

La radio, appelée d'abord Télégraphie Sans Fil, est inventée au début du XXe siècle. En 1920, les premières émissions de radio ont lieu à Paris dans un studio situé au pied de la tour Eiffel qui est équipée d'une antenne radio. Les chanteurs et les musiciens jouent en direct !

EN FRANCE, AU FIL DU TEMPS

Après 1920, les automobiles sont de plus en plus nombreuses sur les routes.

En 1938, le premier poste de télévision a un tout petit écran.

LE XXe siècle

1918	1932	1936
C'est la fin de la Première Guerre mondiale.	Il y a 300 000 chômeurs en France.	Les travailleurs obtiennent des congés payés.

...de 1918 à la Seconde Guerre mondiale

UNE GRANDE VILLE EN 1920

— un château d'eau

la mairie

un avion

une publicité

des fils électriques

JEU Observe dans ce paysage les éléments apparus à cette époque. Compare ce paysage avec ceux des pages 125 et 157 et découvre sa transformation au fil des siècles.

Le 18 juin 1940, De Gaulle encourage les Français à résister à l'occupation allemande.

A partir de 1942, les Juifs doivent porter une étoile jaune sur leurs vêtements.

1939

C'est le début de la Seconde Guerre mondiale.

1940

Une partie de la France est occupée par l'armée allemande.

1941

La Résistance s'organise autour de son chef, Charles De Gaulle.

1942

En France, des milliers de Juifs sont arrêtés et déportés.

6 juin 1944, le débarquement allié en France

- Les préparatifs du jour J
- Cap sur les côtes normandes
- Des stratégies habiles
- A l'assaut des plages
- Utah Beach, le soir du 6 juin

Le monde au début de 1944

☐ Pays alliés ou contrôlés par les alliés.
■ Pays ennemis ou occupés par l'ennemi (par ex. la France).
☐ Pays qui restent en dehors de la guerre.

En 1940, sur les ordres d'Hitler, l'armée allemande envahit la France et menace l'Angleterre. La guerre devient mondiale car d'autres pays entrent en guerre, les Etats-Unis par exemple. Certains pays amis deviennent des alliés pour être plus forts.
Regarde bien la carte du monde pour savoir quels pays sont amis et ennemis en 1944.

Les préparatifs du jour J

1er juin 1944 en Normandie

Tous ces allemands en France ! C'est terrible !

La guerre dure depuis quatre ans déjà !

Dans un café de Sainte-Mère-Eglise, un paysan, accoudé au bar, discute avec le patron.

BYRRH

Voilà le plan pour saboter la ligne téléphonique.

Je m'en occupe.

Dans un coin du café, deux clients parlent à mi-voix. La femme glisse un papier à son compagnon.

TABAC

FE-EPICER

Où vont tomber les bombes cette fois ?

VRRRRRR

4, 5, 6... avions.

On dit que le débarquement est proche.

Soudain des avions bombardiers passent au-dessus du bourg et font vibrer les vitres du café.

La France occupée

En 1944, la France est occupée depuis 4 ans par l'armée allemande. Le gouvernement français, dirigé par le maréchal Pétain, a accepté l'installation des Allemands dans tout le pays. Pourtant, beaucoup de Français refusent cette situation.

Des sabotages

Certains opposants français sont devenus des résistants. Ils sont soutenus par le général de Gaulle installé en Angleterre. En juin 1944, ils font sauter des voies ferrées et des lignes téléphoniques. Leur but ? Empêcher les Allemands d'agir.

Des tonnes de bombes

Au printemps 1944, en France, des avions alliés, anglais et américains, bombardent des gares et des ponts. Leur but ? Gêner les déplacements des troupes allemandes.

144

Le plan Overlord

Depuis 1943, sous
la direction du général
américain Eisenhower,
les alliés préparent
un plan ultrasecret
appelé Overlord :
un débarquement
en France, en juin 1944.
Leur but ? Libérer
la France et stopper
le projet fou d'Hitler :
dominer toute l'Europe.

Des milliers
de chars

En juin 1944,
12 000 avions,
7 000 navires
et des milliers de chars
attendent le signal
du débarquement
dans les ports et les
aéroports britanniques.

3 500 000 soldats

Un million et demi
de soldats américains
et deux millions
de soldats anglais
et canadiens attendent
le débarquement dans
le sud de l'Angleterre.
156 000 d'entre eux
débarqueront
en France le 6 juin 1944.

Réunis à Portsmouth, des généraux américains
et anglais réfléchissent, penchés sur des cartes.

Sur le port, des soldats conduisent
des tanks et des jeeps à l'intérieur des navires.

Des soldats américains jouent aux cartes sous
une tente de l'armée. Un officier fait irruption.

Cap sur les côtes normandes

6 juin 1944, en France, 0h15...

Des avions anglais et américains larguent des parachutistes au-dessus de la Normandie.

0h45...

Par ici, John !

Trois planeurs se posent sur les bords de l'Orne. Des soldats anglais en sortent silencieusement.

1 heure...

On les a eus !

Mais John, tu es blessé !

Aussitôt, les soldats attaquent les sentinelles allemandes qui gardent le pont de Bénouville.

Le débarquement aérien

Date : 6 juin 1944
Heure : de minuit à 4 h.

Des parachutes et des planeurs

En pleine nuit, des milliers de parachutistes atterrissent à l'est et à l'ouest des plages de Normandie. Au même moment, de grands planeurs se posent sans bruit dans la campagne. Des centaines de soldats en surgissent.

Mission difficile

Ces soldats doivent s'emparer de ponts, de routes... S'ils y parviennent, ils empêcheront l'armée allemande d'atteindre les plages où des soldats alliés vont débarquer.

Un bilan positif

Des soldats réussissent à faire sauter des ponts et une batterie de canons allemande. Mais beaucoup de parachutistes sont tués ou se noient dans les marais.

Le débarquement naval

Date : 6 juin 1944
Heure : au lever du jour
Nom de code : Neptune.

Une immense flotte

7 000 navires
quittent l'Angleterre.
A l'approche des côtes,
les cuirassés et les
torpilleurs bombardent
les canons allemands
installés sur les falaises.
Des péniches déposent
des milliers de soldats
sur cinq plages
surnommées Utah,
Omaha…

Opération Neptune

Les soldats alliés
doivent faire reculer
les troupes allemandes
le plus loin possible
à l'intérieur des terres.
Ils doivent aussi
décharger des tonnes
de matériel militaire.

Mission accomplie

Ce débarquement
surprend les Allemands,
trop peu nombreux.
11 000 soldats alliés
sont tués ou blessés.
Mais la libération
de la France commence.

Une péniche de débarquement pleine de soldats américains approche de la plage d'*Utah Beach*.

Sur la plage, à l'abri d'un blockhaus, des Allemands mitraillent les soldats américains qui débarquent.

Malgré les tirs de mitrailleuses et les mines qui sautent, des soldats parviennent jusqu'aux dunes.

Des stratégies habiles

Des abris en béton, les bunkers, permettaient aux soldats allemands de défendre les côtes.

Les pieux en acier recouverts à marée haute étaient très dangereux pour les péniches.

Des avions allemands étaient parfois dissimulés sous des feuillages pour ne pas être repérés.

Depuis 1942, Hitler et Rommel, le chef de l'armée, se préparaient à un débarquement allié. Mais ils ignoraient le lieu exact et la date. Voici leur plan.

Se défendre

Pendant 2 ans, Hitler fit bâtir 12 000 ouvrages fortifiés le long des côtes de la Manche et de l'Atlantique : c'est le Mur de l'Atlantique. 300 000 ouvriers construisirent des batteries de canons et des bunkers. Ils équipèrent les plages avec des pièges terribles : des mines et des pieux en acier capables d'éventrer des bateaux.

Interdire l'accès des ports

Les généraux allemands savaient que les alliés avaient besoin d'un port pour apporter le matériel militaire après le débarquement. Ils transformèrent donc certains grands ports français en places fortes imprenables.

En 1943, le général américain Eisenhower et le général anglais Montgomery furent chargés de préparer en secret le débarquement. Voici leur plan.

Espionner et tromper l'ennemi

Des avions alliés survolèrent les côtes françaises pour prendre des photos et repérer l'emplacement des bunkers allemands. Les alliés fabriquèrent de faux chars. Ils les placèrent en Angleterre, face au nord de la France, pour faire croire aux Allemands que le débarquement aurait lieu dans le nord.

Transporter un port

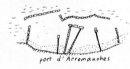

port d'Arromanches

Des caissons de béton fabriqués en Angleterre furent remorqués sur la Manche et placés au large du village d'Arromanches pour former un port. De juillet à novembre 1944, ce port permettra de débarquer 10 000 tonnes de matériel par jour.

Des ouvrières anglaises fabriquaient des lanières de métal destinées à brouiller les radars allemands.

Ces chars en caoutchouc ressemblaient à de vrais chars. C'était une ruse des Alliés.

A Arromanches, les navires déchargeaient leur cargaison sur des pontons : *les quais-baleines*.

JEU STOP'IMAGE

Lis bien tout le dossier sur le débarquement avant de jouer.

1 Le débarquement portait un nom de code secret. Il s'appelait :

■ Neptune

■ Warlord

■ Overlord

2 Le nombre de soldats qui débarquèrent en France le 6 juin 1944 était de :

■ 156 000

■ 500 000

■ 1 000 000

3 Les lettres écrites sur les péniches de débarquement américaines étaient :

■ RAS

■ SOS

■ US

4 La plage la plus meurtrière du débarquement s'appelait :

■ Omaha Beach

■ Juno Beach

■ Utah Beach

5 Les ouvrages fortifiés construits par les Allemands le long des côtes s'appelaient :

■ La muraille de France

■ Le Mur de l'Atlantique

■ Les remparts de la mer

6 La première ville française libérée par les Alliés le 7 juin s'appelait :

■ Caen

■ Bayeux

■ Cherbourg

Réponses. 1. Overlord. 2. 156 000. 3. US. 4. Omaha Beach. 5. Le mur de l'Atlantique. 6. Bayeux.

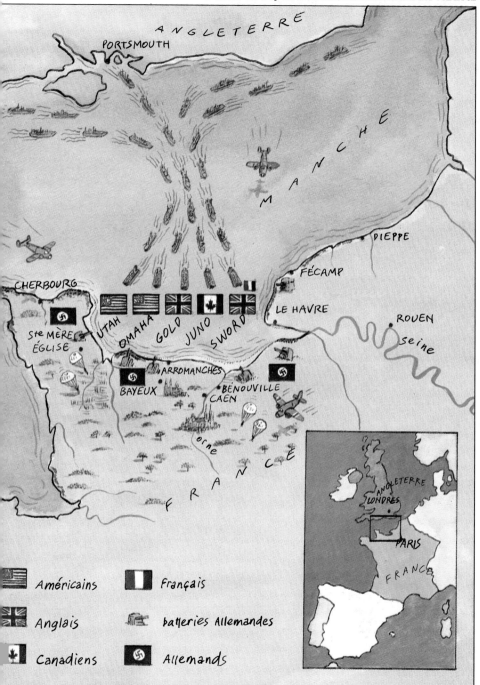

Sur cette carte, tu peux suivre le trajet des milliers de bateaux et d'avions alliés, partis d'Angleterre pour débarquer en Normandie, le 6 juin 1944.

A l'assaut des plages

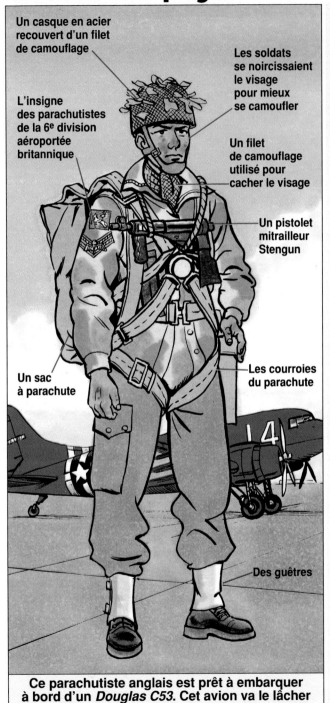

Un casque en acier recouvert d'un filet de camouflage

Les soldats se noircissaient le visage pour mieux se camoufler

L'insigne des parachutistes de la 6e division aéroportée britannique

Un filet de camouflage utilisé pour cacher le visage

Un pistolet mitrailleur Stengun

Un sac à parachute

Les courroies du parachute

Des guêtres

Ce parachutiste anglais est prêt à embarquer à bord d'un _Douglas C53_. Cet avion va le lâcher avec ses compagnons au-dessus de la Normandie.

---

133 000 soldats ont posé le pied sur les plages normandes le 6 juin 1944. Qui sont-ils et où ont-ils débarqué ?

57 500 Américains

Ils débarquent le 6 juin à 6 h 30. Leur objectif : deux plages surnommées Utah et Omaha. A Utah, tout se passe bien et les soldats pénètrent à 9 km dans les terres. Mais à Omaha, c'est le désastre : 30 chars amphibies et plusieurs péniches sont engloutis par les vagues. Les Allemands, nombreux et bien armés, tuent 3 000 soldats.

53 815 Anglais

Entre 6 h 30 et 7 h 25, les soldats anglais donnent l'assaut de deux plages : Sword et Gold. La mer très agitée rend le débarquement difficile et les tirs allemands sont violents. Mais le soir, les soldats libèrent déjà des villages et marchent vers Bayeux et Caen.

21 400 Canadiens

A 8 heures, les soldats canadiens approchent de Juno.beach.
La mer recouvre encore les 14 000 pièges et mines posés par les Allemands.
Beaucoup de soldats se blessent en débarquant.
Dans les péniches, certains transportent des vélos pour se déplacer vite à terre. Malgré des tirs allemands meurtriers, ils pénètrent à plus de 15 km à l'intérieur du pays.

177 Français

Ces Français partis en Angleterre en 1940 forment un commando de marine dirigé par le commandant Kieffer.
Mais ils portent pourtant le béret vert britannique.
Débarqués avec des soldats anglais sur la plage de Colleville-sur-Mer, ils s'emparent d'une place forte occupée par les Allemands.
Le soir, ils franchissent le pont de Bénouville libéré.

L'insigne de la 4e division d'infanterie américaine

Un paquetage composé d'un sac et d'une couverture

Une bouée qui se gonfle automatiquement quand on tire sur la poignée

Une musette contenant des munitions

La poignée de la bouée

Une gourde

Un pistolet-mitrailleur Thompson

Un poignard

De grosses chaussures de marche

Ce soldat américain qui débarque à Utah Beach a navigué à bord d'un *Landing Craft Infantry*, avec 200 camarades.

Utah Beach, le soir du 6 juin

Le 6 juin 1944, le débarquement des soldats américains à Utah Beach est un succès. Dès 10 heures du matin, des équipes spéciales de sapeurs déminent la plage. Puis les soldats s'activent pour débarquer le matériel militaire indispensable pour libérer la France.

Un char amphibie, le Donald Duck
Ces chars, protégés par une toile imperméable, se déplacent sur l'eau grâce à deux hélices. Ils avancent alors à la vitesse de 4,3 nœuds (8 km/h). Mais ils ne supportent pas les vagues. Sur terre, ils rabaissent leur toile et se transforment en chars de combat.

Un char Sherman
Ces chars de 30 tonnes ont une tourelle très mobile. Ils roulent à la vitesse de 40 km/h.

Tous les véhicules portent une étoile blanche pour que les avions alliés les reconnaissent.

Un ballon dirigeable
Ces ballons sont reliés
à des bateaux par des câbles
qui empêchent les avions
allemands de voler à basse
altitude. En effet,
ils risqueraient de percuter
ces câbles.

**Un chaland
de débarquement
du matériel**
Ces chalands
de 100 mètres de long
permettent de débarquer
sur la plage l'armement
lourd.

Un char bulldozer
Ces chars arrachent les pieux en acier
qui risquent d'éventrer les péniches.
Ensuite, ils aménagent des chemins
entre la plage et les routes.

**Et la France
sera libérée
au début de 1945.**

Les événements qui ont marqué l'histoire

LA CONQUÊTE DE L'ESPACE

Le XXᵉ siècle est marqué par la conquête spatiale. En 1957, est lancé le premier satellite. En 1961, un cosmonaute russe fait le tour de la Terre en vaisseau spatial. Le 21 juillet 1969 est une date historique : les astronautes américains Aldrin et Armstrong marchent sur la Lune. Un événement suivi par 400 millions de téléspectateurs.

L'INVENTION DE L'ORDINATEUR

En 1947, le premier ordinateur est mis au point aux Etats-Unis. Il est tellement imposant qu'il occupe toute une pièce à lui seul ! Il réalise 300 multiplications à la seconde. Aujourd'hui, les ordinateurs sont miniaturisés et présents dans toute notre vie quotidienne.

EN FRANCE, AU FIL DU TEMPS

En 1945, les femmes votent pour la première fois.

En 1967, une marée noire de pétrole souille la côte bretonne.

LE XXᵉ siècle

1944	1946	1954	1957
Après le débarquement allié, Paris est libéré.	La France entre en guerre avec l'Indochine, une colonie française.	C'est la guerre avec l'Algérie qui sera indépendante en 1962.	Six pays dont la France créent la C.E.E.

... de la 2e Guerre mondiale à aujourd'hui

UNE VILLE MODERNE EN 1996

un TGV

un parc d'attractions

un centre commercial

une autoroute

JEU Observe dans ce paysage les éléments nouveaux apparus à cette époque. Compare ce paysage avec celui de la page 141 et découvre sa transformation au fil des siècles.

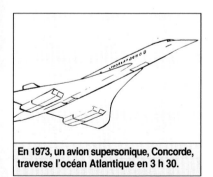

En 1973, un avion supersonique, Concorde, traverse l'océan Atlantique en 3 h 30.

Les lignes de T.G.V. se développent pour relier plus vite les grandes villes.

1958

Le général De Gaulle est élu président de la République jusqu'en 1969.

1968

En mai, les étudiants et les ouvriers manifestent.

1981

François Mitterrand est élu président de la République.

1995

Jacques Chirac devient président de la République.

GRAND CONCOURS

**Répondez vite à ces quatre questions.
Il y a 400 prix à gagner.
Toutes les réponses sont
dans ce hors-série Histoire.**

1 Vers quelle époque les hommes
ont-ils commencé à cultiver
les céréales ?

A 5000 ans avant J.-C.

B 1000 ans après J.-C.

C 200 ans avant J.-C.

2 Au Moyen Age, à quoi servaient
les moulins à vent ?

A à moudre le blé

B à fabriquer de l'énergie

C à fabriquer le pain

3 Quel est le nom de l'inventeur
de l'imprimerie ?

A Dagobert

B Gutenberg

C Larousse

4 Quel roi a favorisé la culture
des pommes de terre ?

A Henri IV

B Louis XIV

C Louis XVI

**Tu peux aussi nous envoyer un dessin du paysage
tel que tu l'imagines en l'an 2010.**

UNE VILLE MODERNE EN 1996

UN PAYSAGE EN 2010

**Envoie ton dessin à :
«Le paysage de l'an 2010»
Images Doc
3, rue Bayard
75008 Paris
Les plus beaux dessins seront
publiés dans Images Doc.**

HISTOIRE IMAGES DOC

400 PRIX A GAGNER

Du 1er au 20e Prix :

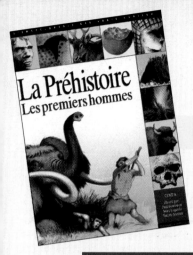

«La Préhistoire»,
un livre
offert par
Bayard Editions.

Du 21e au 200e Prix :

«L'extraordinaire aventure des hommes»,
un livre offert par Bayard Editions.

Du 201e au 400e Prix :

Le poster château fort d'*Images Doc*.

**Envoie tes réponses, sur carte postale uniquement,
avant le 31 janvier 1997 à :
"Grand jeu concours Histoire Images Doc"
Cedex 2728 , 99272 Paris Concours.
N'oublie pas de nous préciser ton nom, ton âge et
ton adresse et de nous dire si tu es abonné à *Images Doc*.**

Règlement: 1. Le «Grand concours Histoire» Images Doc est ouvert du 20 Octobre 1996 au 31 janvier 1997 (le cachet de la poste faisant foi), à tous les jeunes âgés de 7 à 14 ans. 2. La participation à ce concours est sans obligation d'achat. 3. Le jury sera composé de représentants de la rédaction d'Images Doc et sera souverain dans ses décisions. 4. Les gagnants seront avisés personnellement par courrier.

DECOUVREZ LA NATURE

Du tigre au dauphin, des sangliers aux abeilles, observez les merveilles du monde animal. Des reportages passionnants pour mieux comprendre et respecter la nature.

APPRENEZ L'HISTOIRE

Découvrez chaque mois, en bande dessinée vie passionnante des hommes, de la préhisto à nos jours. Une mine de documents pour v exposés.

PASSIONNEZ-VOUS POUR LA SCIENCE

Images de science vous donne tous les secrets des éclipses du soleil, des volcans mais aussi des inventions d'aujourd'hui. Des explications simples et des mini expériences à réaliser.

EXPLOREZ LE MONDE

Partez à la rencontre des habitants et des co tumes du monde entier.
Un grand reportage tout en photo pour mie comprendre le monde et l'actualité.

Sans oublier le journal des petits reporters et bien sûr Bob et Blop les super héros d'Images Doc.

Abonne-toi vite à Images Doc

et reçois EN CADEAU la montre dauphin Images Doc.

Mensuel - Dès 8 ans

Montre à quartz avec trotteuse.
Bracelet translucide bleu avec
un très joli cadran vert et bleu.
Piles fournies. 2,8 cm de diamètre.

BON D'ABONNEMENT SPECIAL DECOUVERTE

OUI, je m'abonne à Images Doc pour :

1 an : 330 F au lieu de ~~360 F~~ **soit 1 numéro gratuit !**

18 mois : 449 F au lieu de ~~540 F~~ **soit 3 numéros gratuit !**

Je recevrai, en cadeau, la montre dauphin Images Doc.*

Je m'abonne par Minitel 3615 Images Doc

MME, MLLE, M.   PRÉNOM

DATE DE NAISSANCE

COMPLÉMENT D'ADRESSE (RÉSIDENCE, ESC., BAT.)   TÉLÉPHONE

NUMÉRO   RUE / AV / BLD / LIEU-DIT

COMMUNE

CODE POSTAL   BUREAU DISTRIBUTEUR

1 9 2 6 3
code offre

Bon d'abonnement à renvoyer avec votre règlement libellé à l'ordre de Bayard Presse, à Bayard Presse Jeune, BP1, 99505 Paris-Entreprises. Bayard Presse Contact : 01 44 21 60 00.

Règlement par carte bancaire :

Date d'expiration de ma carte :   signature

Tarifs valable jusqu'au 31/01/98

Les informations recueillies dans ce bon sont nécessaires au traitement de votre commande et destinées à nos services internes. Elles peuvent être communiquées aux organismes liés contractuellement avec Bayard Presse sauf opposition. Elles peuvent donner lieu au droit d'accès et de rectification prévu par l'article 27 de la loi du 6/01/1978.

TARIFS POUR L'ÉTRANGER	1AN	BON D'ABONNEMENT À RENVOYER AVEC VOTRE RÉGLEMENT À :
CEE : DOM-TOM (par avion)	377 FF	BAYARD PRESSE INTERNATIONAL, BP 12, 99505 PARIS ENTREPRISES, FRANCE
BELGIQUE	1705 FB	BAYARD PRESSE BENELUX, rue St-Remacle 31, 4800 VERVIERS, BELGIQUE
SUISSE	89 FS	BAYARD PRESSE, case postale 393 - 39, rue Peillonex, 1225 CHENE BOURG GENEVE - SUISSE
ESPAGNE (en pesetas)	5850	BAYARD PRESSE ESPAÑA, S.A., calle Enrique Jardiel Poncela 4, 28016 MADRID
CANADA (taxes incluses)	45,53 S	BAYARD PRESSE QUEBEC, 25 Boulevard Taschereau, GREENFIELD PARK, QC, CANADA J4V 2G8
AUTRES PAYS (par avion)	437 FF	BAYARD PRESSE INTERNATIONAL, BP 12, 99505 PARIS ENTREPRISES, FRANCE

* Offre de prime réservée à la France métropolitaine.

QUI FAIT IMAGES DOC ?

Directeur délégué : Georges Sanerot. **Directeur de la rédaction :** Pascal Ruffenach. **Rédactrice en chef :** Françoise Récamier. **Rédacteur en chef adjoint :** Emmanuel Mercier (visuel). **Rédactrice graphiste :** Christine Dodos. **Rédaction :** Catherine Béchaux (chef de rubrique), Florence Dutruc-Rosset (rédactrice spécialisée). **Responsable artistique photos :** Geneviève Chevallier. **Secrétaire général de rédaction :** Frédérick Mokiejewski. **Secrétaires de rédaction :** Bénédicte Jeancourt, Annie Nédélec. **Maquettiste de réalisation :** Jean-Claude Michaud. **Secrétariat :** Marie-Estelle Daquin. **Editeur :** Dominique Luong. **Directrice Développement Commercial :** Odile Kurtzemann. **Contrôleur de gestion :** Marie-Laure Boursat. **Chef de produit :** Agnès Dusastre. **Secrétariat général des rédactions :** Marcelle Boudon. **Fabrication :** Michel Riou. **Publicité :** Régie Bayard Presse Jeune. **Directeur de publicité :** Stéphane Totomiantz. **Chef de publicité :** Renée-Lise Pellegrin. **Direction des ventes (marchands de journaux et dépositaires) :** Michel Légeron. **Abonnements :** Bayard Presse Contact, BP n°1, 99505 Paris Entreprises. Tél.: 16 (1) 44 21 60 60.

Images Doc, édité par Bayard Presse, S.A. à Directoire et Conseil de surveillance, au capital social de 60 000 000 F. Siège : 3-5, rue Bayard, 75008 Paris. Directoire de la société et comité de direction de la revue : Bernard Porte, président et directeur de la publication, Mijo Beccaria, Emmanuel Rospide, Claude Sand, Lucien Vialle, directeurs généraux. Président du Conseil de surveillance : Yves Beccaria. Principaux actionnaires : Assomption, S.A. Saint-Loup, Association N.D.S. Directeur délégué : Georges Sanerot. Rédaction, administration, photogravure, impression : Bayard Presse, 3, rue Bayard, 75008 Paris. Tél.: 44 35 60 60. Pour la Belgique - Editeur responsable : Maxime de Jenlis, rue de la Concorde 33, 1050 Bruxelles. Pour le Canada, éditrice responsable : Francine Tremblay, 5148, boulevard Saint-Laurent, Montréal, QC, H2T 1R8. Société canadienne des postes. Envoi des publications internationales (distribution au Canada) - Contrat de vente n° 1003070. Loi n° 49956 du 16/7/49 sur les publications destinées à la jeunesse. Dépôt à date de parution. © 1996 by Images Doc. «Les noms, prénoms et adresses de nos abonnés sont communiqués à nos services internes et aux organismes liés contractuellement avec Images Doc sauf opposition motivée. Dans ce cas, la communication sera limitée au service de l'abonnement. Les informations pourront faire l'objet d'un droit d'accès ou de rectification dans le cadre légal».

Qui a fait ce hors-série histoire ?

TEXTES : Les mystères de la grotte de Tautavel : Catherine Béchaux. **Vercingétorix contre César à Alésia :** Catherine Loizeau. **Moyen Age : l'attaque de la cité de Carcassonne :** Catherine Loizeau. **Une journée à Paris avec Henri IV en 1608 :** Catherine Loizeau. **Une journée à Versailles avec Louis XIV :** Catherine Loizeau. **1789 : les paysans à la veille de la Révolution :** Catherine Loizeau. **Martin, soldat de Napoléon en Russie :** Catherine Loizeau. **1914 : dans l'enfer de la Grande Guerre :** Catherine Béchaux. **6 juin 1944 : le débarquement allié en France :** Catherine Béchaux.

CREDIT-PHOTOS : Les mystères de la grotte de Tautavel - P.8-9 : Centre européen de recherches préhistoriques (C.E.R.P.) de Tautavel. **Vercingétorix contre César à Alésia - P.34 :** Lauros-Giraudon, Réunion des Musées Nationaux. **P.35 :** Blot/R.M.N., Musée Crozatier, Le Puy-en-Velais. **Moyen Age : l'attaque de la cité de Carcassonne - P.52 :** Bibliothèque Nationale de France, Explorer-Archives. **P.53 :** Musée de l'Armée, Paris. **Une journée à Paris avec Henri IV en 1608 - P.68 :** J.L. Charmet. **P.69 :** Lauros-Giraudon. **Une journée à Versailles avec Louis XIV - P.84-85 :** Hubert Josse. **1789 : les paysans à la veille de la Révolution - P.100 :** Centre historique des Archives Nationales, Paris. **P.101 :** Bibliothèque Nationale de France. **Martin, soldat de Napoléon en Russie - P.116 :** Lauros-Giraudon, H. Josse. **P.117 :** Ingolstadt/Explorer Archives, H. Josse. **1914 : dans l'enfer de la Grande Guerre - P.132 :** J.-L. Boutiller(Historial de la Grande Guerre, Péronne). **P.133 :** J.-L. Boutiller (Historial de la Grande Guerre, Péronne), N. Le Roy/DR-Bibliothèque de l'Heure Joyeuse, Paris. **6 juin 1944 : le débarquement allié en France - P.148 :** Collection Viollet, Collection Viollet, Lapi/Roger-Viollet. **P.149 :** Imperial War Museum, Imperial War Museum, US Army/Mémorial Caen Normandie.

ILLUSTRATIONS : Les mystères de la grotte de Tautavel - Eric Albert, Jean-François Pénichoux, Michel Beurton, Marie Thoizy. Lettrage : Sophie Beaujard. **Vercingétorix contre César à Alésia -** Loïc Derrien, Béatrice Veillon. Lettrage : Sophie Beaujard. Couleurs : Nicole Pommaux. **Moyen Age : l'attaque de la cité de Carcassonne -** Christian Maucler, Béatrice Veillon, Marie Thoizy. Lettrage : Sophie Beaujard. **Une journée à Paris avec Henri IV en 1608 -** Patrick Deubelbeiss, Béatrice Veillon. Lettrage : Sophie Beaujard. **Une journée à Versailles avec Louis XIV -** Nicolas Wintz, Béatrice Veillon. Lettrage : François Batet. **1789 : les paysans à la veille de la Révolution -** Yves Bonodot, Béatrice Veillon. Lettrage : Sophie Beaujard. **Martin, soldat de Napoléon en Russie -** Ginette Hoffmann, Béatrice Veillon, Marie Thoizy. Lettrage : Sophie Beaujard. **1914 : dans l'enfer de la Grande Guerre -** Ginette Hoffmann, Béatrice Veillon. Lettrage : François Batet. **6 juin 1944 : le débarquement allié en France -** Philippe Chapelle, Béatrice Veillon. Lettrage : Sophie Beaujard. **COUVERTURE -** Emmanuel Mercier. **PAGES JEUX -QUIZZ :** Béatrice Veillon. **PAGES «LES EVENEMENTS QUI ONT MARQUE L'HISTOIRE» :** Patrick Deubelbeiss. **SOMMAIRE ET DOS DE COUVERTURE :** Eric Albert, Loïc Derrien, Christian Maucler, Patrick Deubelbeiss, Nicolas Wintz, YvesBonodot, Ginette Hoffmann, Philippe Chapelle.

Ce numéro hors-série histoire a été coordonné par Catherine Béchaux (textes), Emmanuel Mercier (direction artistique), Frédérick Mokiejewski (secrétariat de rédaction), Joëlle Pichon (photo), et Françoise Récamier (coordination générale).